MANIKANETISH
Petite Marguerite

Mémoire d'encrier reconnaît l'aide financière
du Gouvernement du Canada,
du Conseil des Arts du Canada
et du Gouvernement du Québec
par le Programme de crédit d'impôt pour l'édition
de livres, Gestion Sodec.

Dépôt légal : 3e trimestre 2017

ISBN 978-2-89712-489-2
PS8611.O571M36 2017 C843'.6 C2017-941472-0
PS9611.O571M36 2017

Mise en page : Virginie Turcotte
Couverture : Étienne Bienvenu

MÉMOIRE D'ENCRIER

1260, rue Bélanger, bur. 201 • Montréal • Québec • H2S 1H9
Tél. : 514 989 1491
info@memoiredencrier.com • www.memoiredencrier.com

Naomi Fontaine

MANIKANETISH
Petite Marguerite

MÉMOIRE D'ENCRIER

DE LA MÊME AUTEURE

Kuessipan, Montréal, Mémoire d'encrier, 2011.

Je dédie ce livre à mes élèves,
avec amitié et reconnaissance,
tshinashkumitinau

Katshi minumamitunenitaman kie tiapuetatishuian e innu-ishkueuian tshetshi mashinaitsheian, eukuan nitishi-nishtuteti : kassinu auen ka itenitak tshekuannu tshetshi tutak tshika takuannu tshetshi ut animiut muk eiapit apu nita tshikut ui patshitenimut. Uemut eiapit nanitam peikutau tshikaui ishimamitunenitam kie apu tshikut takuannit tshekuannu tshetshi ui nanikanikut. Kie nete tshek tshika peikussu, apu tshikut tant uitsheuakan. Eiapit namienu nenu tsheut patshitenimut. Uemut eiapit anu tshikaui tutam nenu tshekuannu ka itenitak tshetshi tutak.

Après avoir bien réfléchi et après avoir une fois pour toutes pris, moi une Indienne, la décision d'écrire, voici ce que j'ai compris : toute personne qui songe à accomplir quelque chose rencontrera des difficultés mais en dépit de cela, elle ne devra jamais se décourager. Elle devra malgré tout constamment poursuivre son idée. Il n'y aura rien pour l'inciter à renoncer, jusqu'à ce que cette personne se retrouve seule. Elle n'aura plus d'amis mais ce n'est pas pour cela non plus qu'elle devra se décourager. Plus que jamais, elle devra accomplir la chose qu'elle avait songé à faire.

An-Antane Kapesh, 1975

Revenir est la fatalité. Dans ce tout petit village, cette nature épineuse, sablonneuse, imaginée de toutes pièces depuis mon enfance, immuables souvenirs.

Dans ma rue, au bord de la baie, je me fondais à la masse. Moi la petite fille tranquille. Je pleurais si peu bébé, que ma mère bousculait mon sommeil s'assurant de mon souffle. Je pleurais si peu enfant, que ma mère m'avait oubliée sur les marches de l'escalier. Plus tard, l'étrange justice de la vie a rattrapé chacune de mes larmes.

Quitter ma maison beige, c'était tout quitter. Même si le tout peut sembler insignifiant lorsque l'on ne possède presque rien. Un lit en fer blanc et une couverture à motifs. Une maison de poupée, une salle de jeux au sous-sol, le plancher en ciment peint en bleu. Passer tout l'hiver aux joues rouges de froid, tout l'été à la peau aussi brune que celle des enfants du Sud. Peut-être qu'un jour, je reviendrai sur le bord de cette baie, embrasser ma tante et jouer dans ma chambre.

L'exil se trouve à huit heures en voiture et il a la peau pâle. Il avait fallu à ma mère deux jours pour faire la route, cette distance que je ne pouvais calculer que par le nombre de villages à traverser. J'ai fini par les apprendre par cœur. Et les arrêts, et les étapes. Suivre le rythme des courbes et des montagnes de la Côte-Nord. Avancer à la limite permise.

J'avais sept ans. Petite fille brune parmi tous ces visages blancs, ces yeux pâles, bleus ou verts, ces cheveux blonds ou frisés. Étrangère. Nouvelle venue. Différente. Constater ma peau foncée. Ne pas me sentir chez moi.

J'ignore si ailleurs le monde a changé. Ce que je sais, c'est cette courbe mortelle qu'ils ont finalement traversée d'une route droite, à Saint-Siméon. C'est l'absence perpétuelle d'un pont entre Baie-Sainte-Catherine et Tadoussac, le nid de la rivière devenue aussi profonde que la mer. C'est la toute petite paroisse dont j'oublie déjà le nom, qui fermera bientôt ses portes, parce que la route 138, désormais, la contourne.

Ils disent que le retour est le chemin des exilés. Je n'ai pas choisi de partir. Quinze ans plus tard, je reviens et constate que les choses ont changé.

L'INCONNU

Eux. Je les avais imaginés. Des centaines de fois. Sans connaître leur nom, ni leur famille, ni leur histoire. Ni leurs désirs. Une vingtaine d'adolescents, disparates, des gars, des filles, timides et blagueurs. Des adultes en train de naître. Une génération d'enfants qui ont en commun les rues tranquilles sans feux de circulation. Les promenades à la plage sur l'heure tardive, main dans la main. La nostalgie.

J'avais vu dans ma tête la couleur jaune, presque brune des quatre murs de ma classe et le bureau en bois massif usé qui me servirait d'appui. Des étagères en mélamine où s'empileraient des dictionnaires de la langue française, des Bescherelle, et cet inutile outil des synonymes, trop longtemps admis comme un indispensable en rédaction.

Sur les murs de ma classe, je désirais les espaces vides déclinés en de multiples fragments d'histoire littéraire. Des citations, des photos de poètes et des toiles peintes reprographiées sur des affiches. Les images importées, imaginées dans la tête des autres, qui servent à se construire. Il était impensable que je me résolve à n'enseigner que la grammaire, ses multiples règles incongrues et la cédille qui fait qu'une lettre s'adoucit. Je leur apprendrais le monde. Et comment on le regarde. Et comment on l'aime. Et comment on défait cette clôture désuète et immobile qu'est la réserve, que l'on appelle une communauté que pour s'adoucir le cœur.

Depuis l'embauche nouvelle, j'avais sur-répété mon introduction. Leur parlant d'une voix claire de mes années d'études, de ce qui m'avait guidée dans le domaine de l'éducation. Et de mon retour, ici, à Uashat. Je ne leur dirais pas ce qu'il aura fallu céder. Ni la peur de ne pas être reconnue chez moi. Je leur cacherais mes craintes de début de carrière, mes incertitudes, mon manque de confiance. Et je ne leur parlerais pas en innu. À cause de ma mauvaise syntaxe, de mon accent de Blanche.

Je voulais faire bonne impression et même si je leur apparaissais tout d'abord comme une étrangère, hormis la couleur de ma peau et mes yeux foncés, je parviendrais à nouer des liens solides. Entre la connaissance de la langue française et la connaissance de soi.

C'était avant. Avant les absences de Marc. Les épaules voûtées de Myriam. Le talent brut et secret de Mélina. La révolte de Rodrigue. Le rire timide de Mikuan. Avant de tomber dans le vide. Abruptement. Sans retour en arrière possible.

C'était avant moi.

Lui. Nicolas m'a regardée partir. Lorsque j'ai commencé à remplir mes boîtes, il m'a observée sans rien dire. Je n'ai pas traîné. L'idée de passer tout l'été à Uashat, sur le bord de la mer, m'apaisait. Son regard ici me pesait. Lourd. Aussi lourd que ces boîtes qui me suivraient sur la 138 dans ma Civic blanche bosselée depuis un accident sur la neige glissante. L'étroitesse de notre appartement était devenue celle de l'esprit lorsqu'il s'emmaillote dans une routine et un chemin dessiné parfaitement.

Il me regardait et je me taisais, coupable de le quitter. Pourtant, c'était l'hiver lorsque je lui ai annoncé que le directeur de l'école secondaire à Uashat m'avait proposé un contrat. Le bac terminé, la peur de ne pas trouver mieux ici, dans la grande ville. J'avais entendu trop souvent des histoires de nouvelles diplômées qui travaillaient comme caissières dans des boutiques trop luxueuses pour qu'elles puissent s'y acheter un simple veston. Et l'idée de retourner vivre dans mon village. De travailler dans ma communauté. De redonner. Ce contrat répondait largement à mes attentes.

C'était l'hiver encore lorsque je suis partie en voyage éclair à Uashat, rencontrer le directeur qui m'a confirmé une tâche pleine dès la mi-août.

Puis le printemps nous a surpris.

Tu veux que je te suive, mais comment veux-tu que ça marche ? Je ne peux pas te suivre partout ? Et qu'est-ce que je pourrais faire à Uashat, moi ?

J'étais tombée amoureuse de son accent du Bas-du-Fleuve durant l'un de ses concerts d'artiste solo à la guitare. Trois années étaient passées. J'avais rapidement découvert ses larges épaules de bûcheron. Ses chemises à carreaux qu'il portait tous les samedis. Ses mains puissantes. Sur sa guitare. Sur sa débroussailleuse dont la lame s'effritait aussi rapidement que les week-ends passés ensemble dans son loft étroit et bordélique. Ne représentait-il pas exactement mon type d'homme ? Un artiste qui aimait les mots autant qu'il aimait courir les bois en pleine canicule de juillet. Il ne lui manquait que la barbe épaisse et les sourcils broussailleux pour prétendre à ses ancêtres. Mais il avait les yeux bleus, tendres et même si à cet instant j'aurais préféré qu'il ne soit pas si honnête, rien dans son regard ne restait caché. Pas même sa peine, son impuissance.

Tu peux sûrement te trouver un bon travail dans le bois. Il n'y a que ça là-bas. Du bois. Du bois. Du bois. Partout.

Sa colère. Ses reproches, ses supplications m'ont fait fuir plus tôt qu'il n'était nécessaire. J'ai rouspété sans relâche, balançant les mêmes arguments. Faute de pouvoir le convaincre, j'ai emmagasiné des répliques qui me réchaufferaient le cœur plus tard, dans le Nord.

Il avait bâti un tout autre avenir pour nous. Dans le Bas-du-Fleuve. Des jours heureux aux côtés d'un potager. Une maison blanche construite sur un terrain qui se mesure en arpents. L'odeur des champs en plein juillet, et le vent doux du soir. Le sucre que l'on fait bouillir au printemps dont les enfants nombreux et surexcités se servent à la palette. Bien sûr, je me serais plu à lire des romans anciens sur la galerie en bois, isolée, en paix. Bien sûr, les épinettes m'auraient fait sentir chez moi, en plein épandage, constitution si lointaine de la vie sauvage. Bien sûr, nous étions amoureux. Et peut-être que l'amour nous aurait portés. L'un dans l'autre, jusqu'à devenir vieux et insouciants. Mais cette vie ne m'appartenait pas. J'ai cru qu'il saurait le comprendre.

À la porte, en t-shirt et en legging, la tenue la plus confortable pour les huit heures de route qui m'attendaient, je l'ai regardé qui me regardait. J'avais l'orgueil trop gros pour pleurer. C'est moi que je choisissais. Même si choisir, forcément, c'est renoncer. Je n'avais pas envie de parler, de répéter, de m'enfoncer. Je voulais franchir cette porte et respirer. Je suis partie.

Et sa phrase, qui me rentre dedans. Complètement.

Je vais t'attendre, OK.

Manikanetish. Il y a vingt ans de ça, ils ont bâti une école sur la rue centrale de la réserve. Sur le terrain vague voisin de la patinoire et du stade de baseball. La première construction en brique. Et ils lui ont donné le nom de Manikanetish, Petite Marguerite, à la mémoire d'une femme décédée quelques années avant le début des travaux. La Petite Marguerite n'avait jamais porté d'enfant, ce qui ne l'a pas empêchée d'en élever des dizaines. Des enfants qui avaient perdu leurs parents, ceux qui avaient été donnés, trop nombreux à la maison, les enfants difficiles, ceux qui au lieu d'être placés sous la garde de l'État, ont trouvé refuge dans son nid. Petite, dans le corps d'une préadolescente. Du coup, infiniment grande. Le Créateur joue parfois à contredire sa créature.

Sur le parvis de l'école, la direction avait décidé de faire pousser du gazon. Mais les hommes d'entretien ne possédant pas le tiers d'un pouce vert, même à cinq, ont confondu la bonne herbe avec la mauvaise. L'été, c'était un champ bien tondu qui devenait vert un mois par année, à la pousse des pissenlits.

L'école a servi pour le primaire et le secondaire. Jusqu'à ce que les murs atteignent leur capacité maximale. Ils ont construit deux autres écoles. Et elles aussi se sont remplies. Tous les ans, les enseignantes, quelques Innues, surtout des Blanches, accueillaient six nouvelles classes de première année.

Plus de cent élèves miniatures. De petits enfants curieux pour la lecture, le calcul, les sports. La majorité parlait en français. Un tout petit nombre ne parlait qu'en innu. Certains avaient appris les deux langues. Ils utilisaient leur langue maternelle pour saluer, nommer les saisons, et dire leur envie de faire pipi.

J'ai choisi le secondaire. La patience, la tenue, le cadre, et les histoires de grenouilles, et les sons à répéter, et les chansonnettes à apprendre par cœur en tapant dans les mains, et les « madame il m'a fait une grimace » m'exaspéraient. Je me savais incapable de gérer de petits êtres humains.

Par contre, j'aimais la discussion, l'écriture narrative, les questions de culture générale, le repérage d'erreurs, les romans à interpréter, les PowerPoint et les « madame, avez-vous lu *Aliss* de Sénécal ? »

De cette école, qui n'avait jamais été la mienne, j'ai entendu toutes sortes d'histoires. Drôles, pas toujours. Dérangeantes. Difficiles à comprendre. Véridiques, comment savoir ? Un ami m'a raconté qu'il roulait des joints les deux mains sous son bureau durant les cours. Un autre, que les garçons plus âgés draguaient continuellement les jeunes enseignantes, avec beaucoup d'insistance. Il paraît qu'on s'y battait souvent. Filles et garçons, surtout pour des histoires de cœurs brisés et de filles faciles. Et on entrait et sortait des classes à sa guise pour aller faire quelques lignes de speed dans les toilettes. C'était le genre d'histoires qui circulaient. Grossies par l'imaginaire adolescent.

On m'a également dit que les choses avaient changé depuis l'arrivée du nouveau directeur. Un homme vieux, solide, Montréalais. Les cheveux blancs, bien peignés. Une main tendue avec sérieux. Enseignant de sciences de formation, il semblait être apprécié, craint et respecté. Lors de l'entrevue, j'ai immédiatement compris pourquoi. Malgré sa petite taille, il imposait l'écoute. Sa dizaine d'années au service de la communauté lui a procuré le flair nécessaire pour travailler avec les Innus. L'autodérision, la rigueur, l'absence de pitié sont les armes à employer pour œuvrer chez des gens qui ont eu leur part de préjugés raciaux et de raccourcis faciles sur leur manière de vivre. Si les enseignants jouissaient également de son aura, je le constaterais par moi-même.

Le cours.

Madame, qu'est-ce qu'on fait aujourd'hui ?

Du français.

Argg ! J'haïs ça le français.

◆

Ils m'ont appelée madame dès le premier cours. Ils ne connaissaient pas mon nom à ce moment-là. Mais même après, lorsqu'ils disaient « tu » et me faisaient des blagues, ils ont continué à m'appeler madame. Une règle de conduite instaurée depuis quelques années. Elle était appliquée systématiquement. Au départ le *madame* écorchait mes oreilles de jeune étudiante tout juste sortie de l'université, pas tout à fait mature, pas tout à fait prête pour cette marque de respect. Très vite, c'est devenu une nécessité. Surtout lorsque de grands garçons à la voix grave me demandaient s'ils pouvaient quitter le cours plus tôt. Surtout lorsqu'un soir de semaine, j'ai rencontré quelques-uns de mes élèves au salon de billard alors que je cherchais vainement à me cacher derrière mon verre de vin. Surtout lorsque ça riait fort dans ma classe et que j'étais sur le point de perdre le contrôle. Ils m'appelaient madame et je réussissais à hausser le ton suffisamment pour calmer le jeu.

À peine plus âgée qu'eux, il m'est arrivé de passer des cours entiers à m'évaluer. J'observais mes gestes avec insatisfaction. Ces mains qui parlaient rapidement sans prendre de pause. Ces mains instables, nerveuses. Ces mains qui finissaient sur mes hanches, de manière enfantine. Une petite fille qui gronde ses poupées. Ces mains lasses d'avoir cherché intensément à attirer l'attention. L'attention sporadique de mes élèves, qui eux posaient calmement les leurs sur le pupitre devant eux.

Perchée sur des talons et presque toujours en jeans, je jouais le rôle de la jeune enseignante idéaliste. Celle qui lève un peu trop les yeux lorsqu'elle s'adresse à ses élèves, qui s'excuse chaque fois que sa langue se fourvoie. Ça sonnait faux. Je tentais de me rappeler ce que m'avaient appris mes professeurs sur la motivation, la discipline et la réussite, mais je n'y arrivais pas. J'improvisais. Constamment.

Les cadres. Dans le couloir, entre le secrétariat et la salle des enseignants, sont accrochés des portraits anciens en noir et blanc. Une vieille dame très ridée, sur sa tête, la toque traditionnelle carreautée rouge. Ne prenant même pas la peine de croiser le regard avec l'objectif de la caméra. J'ai appris plus tard que c'étaient les missionnaires qui avaient inculqué la toque aux femmes innues, ainsi que les cheveux attachés des deux côtés de la tête, deux nattes rondes collées à leurs tempes. Parce qu'elles étaient belles au naturel, les cheveux longs caressant leur dos. Attirantes et sauvages. Trop belles pour les hommes de Dieu qui avaient juré l'abstinence. Ils les avaient enlaidies.

L'autre portrait est celui d'un homme avec une hache à la main, une pipe à la bouche, sans sourire. Une tente de prospecteur derrière lui. Il fixe le photographe avec cet air familier qu'ont les hommes lorsqu'ils tiennent un outil et partent travailler. Il n'est pas pressé d'aller bûcher. Il fume. Insouciant d'être l'image de l'Indien pour les générations futures.

Puis, il y a la petite fille. C'est un plan rapproché. Elle doit avoir deux ans, peut-être moins. La peau foncée, les joues rondes et les yeux noirs. Elle porte un chapeau pointu qui ne lui fait voir que le rond de son visage. Une sorte de cagoule pour protéger des mouches dévorantes du mois de juin. Sauf que ce chapeau est en tissu imprimé orné de rubans.

Ce portrait est celui que je préfère. Elle pointe son petit doigt vers une cible qu'on ne peut qu'imaginer. Et elle ne rit pas. Sa bouche forme un cœur. Elle parle.

Les boucles d'oreilles. Les filles portaient des bijoux imposants, colorés. Perlés sur du cuir ou en franges longues et symétriques. Elles les portaient avec des jeans troués et des t-shirts avec l'inscription *Get more NYC* dessus. Près de leurs longs cheveux raides et sombres, des éclats typiques de l'art amérindien.

C'est toi qui les as faites ?

Non, je les ai achetées à Obedjiwan pendant le pow-wow cet été.

Elles sont vraiment belles.

Merci madame. J'en fais aussi, mais pas ce style-là.

Tu me les montreras si tu veux. J'aimerais bien en acheter.

Elle a repoussé son épaisse chevelure derrière son oreille. M'a regardée fièrement.

Il y a eu ce cours d'histoire lorsque j'étais en secondaire deux. J'avais quatorze ans. Dans le manuel scolaire, des images de tipi, de maisons longues, de vêtements en peaux d'animaux, de tambours et de petits fruits. Le seul mot *autochtone* me faisait rougir. Anxieuse, assise près du bureau de l'enseignant, j'ai espéré si fort qu'il ne me pose aucune question sur ma culture. Pire, devoir dire *bonjour* dans ma langue devant toute la classe.

Il est arrivé que des gens que je rencontrais pour la première fois pensent que j'étais Latina. Ça me plaisait. Parce que j'ai la peau brune, les cheveux noirs et longs, les yeux moins bridés que ceux de ma mère. À cause de mon accent difficile à identifier. Et parce que je n'ai jamais porté de ces boucles-là durant mon adolescence. Je n'en ai même jamais eu envie.

M'avait-on déjà humiliée parce que j'étais Innue? Peut-être une fois ou deux. Pas suffisamment du moins pour que la honte s'établisse. Et pourtant elle était là, liée à mon incapacité à m'identifier à eux. À ce eux qui aurait dû être ce nous. Le nous me glissait dans la gorge lorsque je devais expliquer mon appartenance.

Le texte. C'était de l'art. Presque le dernier de la pile que je me harassais à corriger un soir, seule, avec même pas un chat pour me ronronner son affection. De petites lettres alignées, qui penchaient parfaitement vers la droite. Aucune erreur de syntaxe. Exactement le genre de texte que j'aurais voulu écrire à 16 ans. Hormis la grammaire sans faute, il y avait une clarté, une manière de nommer sans bifurcation, sans répétition. Le texte m'avalait. Sans contenance. Qui donc lui avait appris à écrire ainsi ?

Le texte argumentait contre les coupes à blanc dans le Nord et toujours, une phrase clé guidait la lecture. Je l'ai lu d'un coup, sans même m'attarder au plan de rédaction. Je l'ai lu, je l'avoue, par plaisir, oubliant que je devais noter, que le temps était précieux, que les copies devaient diminuer. Je l'ai relu et parce qu'il faut bien que l'élève cherche à s'améliorer, j'ai dénoté une certaine faiblesse dans le premier paragraphe. Un léger manque de structure dans le second. Sans conviction.

Le lendemain, Mélina était là, ma précieuse rédactrice. Je n'avais encore jamais pris la peine de la regarder, en dehors du groupe, comme unique. Tout le cours, je l'ai observée. Elle avait maquillé ses yeux et mis du rouge à lèvres. Ça ne camouflait qu'à moitié sa fatigue. Pourtant ça n'enlevait rien à sa beauté, parce qu'elle était belle, brune aux cheveux noirs. Mince, peut-être trop. Elle parlait peu et ne répondait jamais aux questions que je lançais à la classe sur la matière ou sur des connaissances générales. Elle levait à peine la tête lorsque j'expliquais le travail à faire. Elle était si loin de nous.

Après le cours, je lui ai demandé de rester parce que je voulais lui parler. Son regard, tout à l'heure si hagard, m'a révélé qu'elle était inquiète.

Mélina, j'ai corrigé ton texte hier. Je lui ai fait un sourire de contentement. C'est excellent. Il fallait que je te le dise.

Elle m'a fait un léger sourire, bouche fermée.

Merci madame.

J'ai rarement lu un texte aussi bien écrit. Il n'existe pas beaucoup de personnes qui écrivent comme tu le fais. À seize ans en plus.

J'ai quinze ans.

C'est un don, tu le sais ?

Je sais pas. Peut-être.

C'est beau. À demain.

Week-end. Le vendredi à quatre heures, mon bagage est prêt. Des chips et de la liqueur, des vêtements chauds et confortables, aucun maquillage ni parfum, des élastiques et une brosse à dents. Mon oncle finit de paqueter le pick-up. J'entre dans la maison pour parler à ma tante. Il y a cet élève difficile qui me met hors de moi. J'ai l'impression qu'avec lui je perds totalement le contrôle. Ma tante me dit qu'il est le fils d'untel. Elle connaît l'histoire de sa mère partie en fuite avec son amant de Schefferville. La colère du père trompé. L'équilibre familial réduit à néant pour une amourette de jeune fille. Je vois bien que ma tante désapprouve la mère.

Deux heures de route. Les vieilles chansons country d'un groupe innu. Les cigarettes qu'on fume comme deux cheminées, ma tante et moi. Un café à Port-Cartier. Le chemin de gravier qu'il ne faut pas quitter des yeux à cause de l'éventuel porc-épic. Les arbres qui poussent l'un dans l'autre et les ruisseaux qui les séparent. L'automne n'est ni rouge ni orange, comme au sud. Il est vert foncé avec des taches jaunes. Je repense à ma colère envers mon élève. Je comprends un peu mieux la sienne. Deux perdrix tuées sur le bord de la route. Une frappée sur la tête, l'autre sur le ventre.

Tout autour du chalet poussent des sapins et des épinettes. Quelques bouleaux, des arbres courts au feuillage jaune. Le lac auprès duquel grand-père a planté sa cabane s'étend en longueur d'un bout à l'autre de l'horizon. En l'empruntant en canot, il est possible de rejoindre d'autres familles, d'autres chasseurs. Mes tantes, une à une, ont construit leur chalet près de celui de mon grand-père. Il y en a cinq en tout. C'est un petit village.

Près de la rive, il y a une presqu'île, sur laquelle se noient des troncs d'arbres gris. Au premier regard, ça a la forme d'un orignal qui se baigne. Il faut observer plus finement, pour que passe l'envie d'alerter le chasseur de la présence d'une bête gigantesque. Ce n'est pas impossible, il suffit d'être avisé.

De la grande fenêtre du chalet, on voit le lac. Le café goûte meilleur lorsqu'il a bouilli dans une cafetière métallique. Mon oncle a construit son chalet il y a cinq ans. À l'intérieur, une grande et unique pièce. Trois lits avec des couvertures doublées que ma tante a cousues. Le poêle en bois près de la cuisine sert également de réchaud et de grille-pain. Il y a quelque chose dans ce lieu, modeste et sans artifices, qui ajoute à la paix du lac et des épinettes.

Il a fait froid cette nuit, j'enfile un gros chandail de laine pendant que mon oncle met une bûche dans le poêle. Il me demande si j'ai eu froid. Je réponds que oui, un peu. Il m'en reparle durant tout le week-end. Il se moque de moi lorsqu'il met plusieurs bûches avant la nuit. Je ris avec lui.

L'insatisfaction fait place à la simplicité. On ne se regarde pas dans un miroir. On regarde un lac limpide, et on cherche les cercles que forment les truites au fond de l'eau. C'est l'eau du ruisseau que l'on boit et on ne jette rien près du chalet, à cause des ours, de leur manière de tout engloutir. On ne voudrait pas les attirer avec nos déchets.

Le matin, l'odeur des œufs et du bacon que ma tante prépare. Un de mes oncles vient boire un café. Il nous parle des traces d'orignal sur le chemin de terre juste derrière notre chalet. Il s'informe sur les trajets que nous envisageons de prendre plus tard dans la journée. Il repart. Il a dit tout ce qu'il avait à dire.

Nous irons vérifier les collets à lièvre avant le départ dimanche vers onze heures. Ils disent que lorsqu'il est pris, la douleur le fait hurler comme un nourrisson qui pleure. Mais rarement nous l'entendons. C'est la nuit, à deux ou trois milles de notre sommeil, qu'il s'étrangle et entame son ultime combat. Il vaut mieux ne pas y assister. Ils disent que ça peut enlever le goût à la chasse.

Deux jours dans cette forêt, ce n'est pas suffisant. Pas assez long pour me réapproprier ce que j'ai quitté dans l'enfance. La pêche à la truite et les guimauves sur le feu. J'ignorais que la forêt m'avait tant manqué. Toutes ces années. Alors, j'y retourne la fin de semaine qui suit. Puis l'autre. J'apprends à poser des collets, à ne pas craindre la noirceur. Puis encore l'autre fin de semaine. Jusqu'à ce que la première neige rende la route impraticable.

Le cours.

Madame ?

Oui ?

Tu connais Patrice ?

Patrice qui ?

Patrice Jourdain.

Oui, c'est mon oncle.

Ah OK. C'est mon père.

Sérieusement, on est cousines, alors !

Ouais.

Je lui ai souri, affectueusement. L'ai regardée, différemment. Il n'y avait pas que les quelques années qui nous séparaient. À présent, il y avait ce gouffre d'histoires familiales jamais racontées entre nous deux. Elle m'a rendu mon sourire. Derrière, les autres élèves nous ont lancé des regards étonnés, yeux écarquillés, chuchotements. Bien sûr, c'était étrange de ne pas reconnaître sa famille, les enfants de ses oncles. Tous les jours, j'apprenais que j'étais parente avec un nouvel inconnu. Si seulement j'avais su leur nom. Je sentais bien que cette ignorance dérangeait. La généalogie qui s'allongeait, s'élargissait. Être liée à tous, par tous.

Parfois, j'ai fait semblant de savoir de qui il s'agissait, de me souvenir des anecdotes que j'entendais pour la première fois.

Durant les repas en famille, ou les soirées de bingo, j'ai préféré être sans opinion qu'étrangère. Je voulais faire partie, quitte à me fondre dans la masse. À nouveau.

Mikuan. Le lundi matin, Mikuan arrivait toujours une dizaine de minutes en retard. Et le mardi, et le mercredi, jusqu'au vendredi où d'instinct, là, je ne l'attendais plus. D'ailleurs, depuis les premières semaines, j'éprouvais une surprise lorsqu'en notant les présences, je réalisais que tous mes élèves de cinquième étaient assis, devant moi, décidés à apprendre quelque notion de syntaxe ou de stratégie de lecture. Je le leur disais. Je disais, avec une certaine frénésie, *c'est une belle journée.* S'acharner sur l'absence des élèves n'avait rien donné. J'accueillais ceux qui étaient là, continuais l'enseignement et faisais en sorte que les fautifs le regrettent en évaluant des travaux pratiques ou de simples exercices, une tentative de chantage qui aussi s'est révélée un échec. Pour marquer mon insatisfaction, je prenais les présences avec des remarques ironiques à l'humour douteux qui faisaient naître des *ume* ou des *c'est chien ça.*

Mikuan, quant à elle, me donnait l'impression d'une élève sérieuse. À vingt ans, elle avait l'allure d'une femme mature, l'adolescence n'avait fait que passer. Le visage rond, les cheveux jusqu'aux fesses lorsqu'elle ne les attachait pas et cet accent qui ne ment pas, l'accent chantant du Nord. En classe, elle s'assoyait seule, à l'abri des chuchotements. Elle me fixait, avec des yeux qui interrogent, l'esprit ouvert. Elle travaillait lorsque je le lui demandais, elle écoutait lorsque je donnais mes indications et elle répondait même aux questions, celles dont les réponses invitaient aux explications les plus récentes. Il n'y avait que ce minime trouble d'assiduité envers l'horaire. Elle vivait, je crois, dans un autre temps.

Mikuan a quitté sa communauté à l'âge de dix-sept ans, enceinte, avec son amoureux. Là-bas, dans son village accessible que par la mer, l'école arrêtait en secondaire trois. Ensuite, il restait le choix d'abandonner ou de déménager. Elle a décidé de continuer. Uashat, ce n'était pas chez elle. Je la comprenais. Car malgré mes efforts pour m'intégrer depuis mon retour à Uashat, la plupart du temps, je partageais ce sentiment. L'exclusion.

Peut-être pour cette raison, elle a été la première avec qui j'ai sympathisé après les cours, les autres élèves fuyaient la classe une fois la cloche sonnée. On parlait de tout de rien. De son garçon de deux ans qu'elle a dû amener à l'hôpital la veille, d'où elle est partie sans avoir vu de médecin parce que les longues heures d'attente l'avaient exaspérée. Elle m'a dit qu'elle y retournerait si la fièvre ne passait pas. Et devant la charge que je voyais peser sur son dos, je l'encourageais. Souvent, je n'arrivais même pas à imaginer la manière dont elle s'y prendrait pour décrocher un diplôme. Parce que malgré sa grande détermination, elle cumulait les échecs en lecture et en écriture. Il m'était difficile de lui donner du travail supplémentaire, à cause de son garçon dont elle devait s'occuper tous les soirs. Je l'écoutais en hochant la tête, empathique. Je lui disais à demain.

Le cours.

Madame, qu'est-ce qu'on fait aujourd'hui ?

Du français.

Oui mais quoi en français ?

Une dictée.

Arghhh, j'haïs les dictées !

Avec sa démarche nonchalante, l'élève est allé chercher son cartable dans la bibliothèque, l'a trouvé parmi la trentaine de cartables multicolores et désorganisés. Il s'est dirigé vers son bureau et a sorti son cahier de dictée. Il a écrit la date sur le coin droit. Puis a lancé son crayon sur son bureau en soupirant.

Mes élèves n'étaient pas bavards. Sans être timides. Plutôt réservés. Sur leurs gardes. Lorsque je m'approchais d'eux, m'intéressant au travail sur lequel ils étaient en train de bûcher, ils s'immobilisaient. Attendaient quelque chose de moi. Et j'attendais aussi. Une question. Un commentaire. Puis rien ne venait. Je continuais mes pas, errant dans la classe, un sourire qui ne veut rien dire aux lèvres. Je réalisais que la place la plus commode était celle à mon bureau. Que là je pouvais cesser d'attendre. Que mes allers-retours entre mon bureau et le mur du fond ne servaient à rien. Je me rasseyais. Piteuse.

Un matin, j'ai capté une conversation entre deux filles. Elles racontaient leur week-end en rigolant. Les frasques de la nuit encore fraîche dans leurs rires. Leurs yeux détendus.

Deux adolescentes insouciantes. J'ai ressenti l'envie subite de me joindre à elles, de m'esclaffer, de poser des questions indiscrètes. Mais je me suis retenue. Je les ai ramenées à l'ordre dans la correction de leur texte. Ce regard noir qu'elles m'ont lancé. Étais-je si transparente ?

La mère de Marc. Il était absent ce matin-là. Ça n'a inquiété personne puisqu'il s'absentait souvent sans raison valable. Ses absences faisaient partie de la tension qui émanait de lui lorsqu'il s'agissait de lire, d'écrire, d'apprendre à conjuguer au passé simple. Je ne m'étais pas habituée à son attitude négative et je le lui disais constamment. Nous étions à la fin d'une étape et je me suis permis de critiquer ouvertement son inconscience devant le groupe, répétant pour la énième fois combien la présence à l'école était importante. Qu'elle était le premier facteur de réussite. L'une des élèves m'a interrompue, et de sa voix complètement outrée, cette voix à laquelle je ne m'étais pas habituée non plus, elle m'a dit :

« Ben voyons, madame. Tu sais pas qu'il est parti à Québec. Sa mère est malade et elle va peut-être mourir. »

Je n'en savais rien. Et j'ai interrogé ma commère, pas celle à la voix outrée, mais l'autre, celle par qui tous les potins, vrais ou faux, concernant la communauté passaient et se diffusaient, afin qu'elle me dise ce qu'elle a entendu.

À ce qui paraît, sa mère a fait une crise cardiaque et ils savent pas si elle va vivre. Ils l'ont amenée à Québec en avion pour qu'elle voie des spécialistes parce qu'ici on sait bien, c'est juste des pas bons qu'on a dans notre hôpital. Et eux autres, Marc et son frère, sont partis en char ce matin. Ils savent pas s'ils vont être capables de la voir avant… C'est vraiment triste madame, pour Marc. Je comprends pas que t'as pas entendu parler de ça.

Je ne comprenais pas moi non plus. Et j'ai passé le reste du cours à penser à lui, à son inquiétude, ses incertitudes. Mon cœur faisait un léger arrêt chaque fois que je me répétais silencieusement les paroles de l'élève. Ils savent pas s'ils vont être capables de la voir avant…

Ce jour-là, je suis allée dîner chez ma mère.

Communiqué. Deux journées ont passé sans qu'on ait de réelles nouvelles sur l'état de santé de la mère de Marc. On ne pouvait dire si ça allait mieux, mal, bien, de pire en pire. Dans la salle des enseignants, on échangeait les mêmes informations d'une pause à l'autre. Nous pensions aux deux adolescents, Marc et son jeune frère. L'angoisse que ce malheur faisait naître. Plus encore, on sentait que la vie révélait toute sa fragilité. La maladie, celle de nos proches, celle passée, celle qui nous hantait, celle qu'il fallait combattre, celle de sa mère à lui.

C'est dans le communiqué hebdomadaire du directeur que j'ai appris la nouvelle. La note spécifiait que les deux garçons seraient pris en charge par des travailleurs sociaux ou des psychologues si tel était leur désir. L'heure et la date des funérailles, une invitation à s'y présenter si nous leur enseignions et une phrase pour la compassion. Une boule a monté à ma gorge et je ne l'ai pas laissé s'échapper. Dans ma pensée, des fragments se sont entremêlés. Marc qui dort dans ma classe. Marc que je culpabilise pour un devoir non remis. Marc en train d'affirmer comment il déteste le français parce qu'il n'y comprend rien. Marc parti à Québec sans savoir si… Marc qui n'est pas là aujourd'hui. Sa voix tout juste muée et ses joues enfantines. Marc qui devra troquer ses éternels pantalons de jogging pour enfiler un costume noir. Porter de ses bras d'adolescent le cercueil de sa mère. Marc que j'aimerais prendre dans mes bras, lui dire que ça ira, même si j'ignore si ça ira. Marc beaucoup, beaucoup trop jeune pour ne plus avoir de maman.

Je me savais incapable d'assister aux funérailles, ni même de visiter la famille endeuillée durant les trois jours de veillée dans la maison familiale. La mort me fossilisait. Sans mot. Sans geste. La mort a toujours eu cette emprise sur moi. Ma seule échappatoire était l'évitement. Le déni.

Salle des enseignants. Devant la mort, je me sentais impuissante. J'ai interrogé une collègue sur la manière d'agir envers les élèves et, en particulier, envers Marc. Quels étaient les mots à prononcer pour atténuer la douleur ? À l'université, on m'avait appris que nous ne devions pas avoir de contacts physiques avec les élèves, en particulier avec ceux du sexe opposé afin de garder une distance morale et professionnelle. Cette règle d'éthique s'appliquait-elle à la situation ? Un enfant venait de perdre sa mère.

L'enseignante que j'ai questionnée travaillait à l'école depuis une vingtaine d'années. Elle enseignait les mathématiques. Au premier coup d'œil, elle m'avait semblé raide et revêche. Grande et toujours habillée sobrement, peu souriante. Elle soupirait lorsqu'elle corrigeait les examens de ses élèves. Marmonnait entre ses dents son insatisfaction à l'égard des réponses incomplètes, incorrectes, parfois absentes. Du coup, je ne l'ai pas appréciée. J'ai présumé qu'elle faisait partie de ces fonctionnaires acariâtres et blasés qui se rendent à l'école comme on se rend à une prison. Jusqu'à ce que je sois désignée pour la remplacer un jour d'examen. La minutie avec laquelle elle avait préparé le cours, les recommandations qu'elle avait pris soin d'écrire pour la suppléante, les précisions sur les habitudes des élèves, l'inquiétude de ceux-ci face à l'absence de leur enseignante. Tout ça m'a dévoilé l'attachement qu'elle avait pour eux. Réciproque à l'évidence.

Yammie, c'est pas vraiment à toi d'intervenir. Il y a le directeur et son tuteur qui vont lui parler. Toi, ta tâche c'est de continuer à enseigner. Tu peux toujours lui dire un mot gentil, afin qu'il sache que tu es désolée. On ne sait pas quand il va revenir, mais quand il va revenir, il voudra revivre sa routine, comme avant.

Comme avant… Est-ce que c'est possible ?

Tu vas voir. Ça va bien aller. Ils sont plus forts qu'on le croit.

Le cours.

Madame, ça te fait quoi toi que la mère à Marc soit décédée ?

Ça me rend triste.

C'est quand il va revenir ?

Je sais pas. Quand il va être prêt, je suppose.

Est-ce qu'il va être obligé de faire les examens ?

Oui, s'il veut les faire. Ça peut peut-être l'aider à penser à autre chose. Écoutez, quand il va revenir, soyez gentils avec lui. Il va avoir besoin de votre soutien et de votre amitié. Pensez à quelque chose de bon que vous pourriez lui dire.

Toi, qu'est-ce que tu vas lui dire ?

Je sais pas.

Seule. L'appartement que j'habite est situé en ville, à cinq minutes de la réserve. Il y fait très sombre. Peu de fenêtres. Ma mère m'a offert une imposante bibliothèque en bois à l'obtention de mon diplôme. Elle prend la presque totalité de l'espace dans la cuisine. Des dizaines et des dizaines de livres y sont entassés. Ceux que j'ai lus par plaisir. Ceux qui m'ont été offerts en cadeau. Ceux qui étaient obligatoires pour mes cours. Ceux qui parlent de la prière. Ceux que j'ai dévorés adolescente. Ceux que j'ai relus, en plein été, assise sur le balcon, une cigarette qui fume dans le cendrier. Il y a longtemps que je n'ai pas lu un livre neuf.

Je reçois rarement de la visite. Mon téléphone ne sonne que pour me proposer des sondages. J'ai eu comme objectif de recommencer à courir dès que je serais bien installée, mais je passe tant de temps à construire mes cours, à corriger les travaux, à remplir des planifications. Je suis crevée. J'ai pris du poids parce que je me fais livrer des repas tous les soirs. Et le mauvais vin du dépanneur n'aide pas non plus.

Au départ, j'ai espéré me faire des amis parmi mes collègues, mais il semble qu'eux aient déjà une vie bien entière, bien organisée, et que le petit temps qu'il leur reste pour socialiser est une brève rencontre le troisième vendredi du mois de cinq heures à sept heures. Cette solitude ne me ressemble pas. J'adorais organiser de grands soupers, avant. Inviter des amis, les amis de mes amis. Je suis devenue une ourse. Personne n'approche les ours.

◆

C'est fou comme il me manque. Nicolas n'a pas appelé depuis deux semaines. C'est à peine s'il a répondu à mes courriels. De petits mots rapides, qui ne disent pas grand-chose. Je voudrais savoir ce qu'il fait, avec qui il est. Naïvement, j'ai cru que la distance ne nous atteindrait pas. Je sens bien qu'elle est là. De plus en plus grande chaque jour.

L'hiver s'est installé en plein novembre. Il a fait moins quinze hier. Je n'ai même pas encore acheté de manteau chaud. J'ai grelotté toute la journée quand j'allais fumer durant les pauses. Mes collègues ont ri de moi en me souhaitant la *Bienvenue à Sept-Îles*.

Puis une idée s'est implantée entre deux nuits d'insomnie parasitées d'ennui et de réflexions beaucoup trop profondes pour mon esprit fatigué. Peut-être que je me suis trompée. Peut-être que mon chemin n'est pas ici. Trop ambitieux pour mon manque d'expérience. Ces jeunes impossibles à démasquer. Une barrière entre eux et moi. Nicolas aurait les mots pour me consoler. M'encourager. Il m'aurait prise dans ses bras d'homme de bois. Sa présence aurait suffi pour me rassurer. Et nous aurions bu du vin jusqu'à ne plus nous rappeler. Suffiraient les mots d'amour et les promesses utopiques, comme avant. C'est en silence que j'ai vidé mon verre de rouge.

Pourquoi ne m'appelle-t-il pas ?

Chalet. Sur la grande table du chalet, entre l'épluchage des patates et le plumage des perdrix, les mains tachées de sang, mes tantes discutaient entre elles. J'écoutais en lâchant quelques exclamations ici et là. La plus jeune de mes tantes, que tout le monde appelait Bébé jusqu'à ce qu'elle devienne grand-mère à trente-trois ans, racontait les derniers temps de ma grand-mère, leur mère. Elle nous a dit qu'elle était là, lorsqu'ils ont amené ma grand-mère à l'hôpital. Toute la famille savait que c'était la fin. Depuis plusieurs mois, elle vivait mal. Elle éprouvait de plus en plus de difficulté à respirer et le diabète avait couvert son corps de plaies inguérissables. À cette époque, les vieux ne se rendaient à l'hôpital que pour mourir. Les bains à la mitaine, les douleurs qui rendent impotent, l'insomnie étaient des affaires familiales que l'on gardait à la maison. La nuit de sa mort, alors que chacun de nous, les enfants, les petits-enfants, les arrière-petits-enfants nous succédions dans la minuscule chambre grise de l'hôpital pour dire un dernier au revoir à la femme qui nous avait donné la vie, mon grand-père, lui, a refusé d'y aller. Il a avoué à sa cadette qu'il avait vu sa femme souffrir suffisamment, qu'il ne pouvait pas la voir mourir. Qu'il n'en avait pas la force. Et personne ne l'y a forcé. Nous l'avons écouté nous raconter ce moment de faiblesse, avec beaucoup de tendresse. Comme une prière.

Le soir dans le lit simple et chaud, entourée du ronflement sonore de mon oncle et de ma tante, du bruit du feu qui crépite, j'ai repensé à mon grand-père. Combien il devait l'aimer, sa femme. Unis, toute une vie, toutes les misères du monde vécues. La pauvreté que l'on mange au petit déjeuner et les enfants mort-nés. Combien il devait l'aimer pour qu'un homme aussi fort que lui, solide devant toutes les adversités qui s'étaient dressées sur son chemin, soit incapable de voir mourir la femme de sa vie. Cet amour si fort, j'avais du mal à le saisir. Et pourtant, je sentais bien que c'était mon héritage.

Le silence. Une semaine après l'enterrement, Marc est revenu en classe. Ses pas lents, ses gestes pragmatiques. Lui qui n'avait cessé jusqu'ici de critiquer toutes mes leçons, n'a pas réagi lorsque je lui ai demandé d'ouvrir le cahier de notes. Il n'a pas parlé, sinon pour expliquer qu'il ne voulait pas manquer les examens de fin d'étape, qu'il ne voulait pas rater son année. Nos regards posés sur lui remplis de non-dits. Je lui ai souri, pas à pleines dents, plutôt le sourire forcé de vieille femme coincée qui regarde un enfant se salir en mangeant. L'élève à la voix outrée m'a surprise. Elle a pris soin de lui. Elle a choisi le bureau juste devant le sien. Elle lui a dit où nous en étions avant les évaluations. Elle est même arrivée à le faire rire. Pas aux éclats, plutôt le rire de celui qui recommence à respirer après s'être retrouvé sous l'eau quelques secondes de trop. Je l'ai regardée faire. Pleine d'envie devant sa capacité à approcher Marc. Pleine de reconnaissance aussi, parce que ce jour-là, j'ai enseigné comment on repère des indices spatiotemporels dans un texte narratif. Je n'ai pas su faire autrement.

Mikuan.

Madame, je peux appeler avec ton cell s'il te plaît ? J'ai manqué le bus.

Elle rit, insouciante. Et malgré l'avertissement qui le déconseillait fortement. Et parce qu'elle avait vingt ans et que depuis quelques semaines on a pris l'habitude de jaser après les cours. Et parce que le vent était glacé à l'extérieur.

Tu restes où ?

En arrière du cinéma.

Je t'amène si tu veux. Je vais dans ce coin-là.

D'accord.

◆

Ma voiture a eu du mal à démarrer à cause du froid. Mikuan m'a vue allumer une cigarette. Elle en a allumé une à son tour.

Tu devrais acheter une nouvelle voiture. T'es prof déjà.

Elle rit.

T'as raison. J'y ai pensé, surtout avec un démarreur à distance. J'en reviens toujours pas qu'il fasse aussi froid ici.

Elle m'a fait un sourire.

Et toi t'aimes vivre à Uashat ?, lui demandai-je en arrêtant au feu rouge.

Oui j'aime ça. Mais c'est pas toujours facile. Quand j'arrive à l'appartement et que je me rends compte que mon chum a rien fait. Pas le ménage, pas la cuisine, pas la vaisselle. Pis en plus, je dois m'occuper du souper et de mon garçon. Des fois, j'ai juste envie de retourner à Pakua Shipi.

Ah. Je comprends. Ça doit pas être évident de tout faire.

Ouais. Si mon chum m'aidait, ça serait mieux déjà.

Est-ce que tu lui en as déjà parlé ?

De quoi ?

Que tu voudrais qu'il t'aide plus.

Oui, et ça finit toujours en dispute. T'as-tu un chum, toi, madame ?

J'en avais un. Ou j'en ai peut-être toujours un, je sais plus. Il est resté à Québec.

Ah je comprends. Mon chum, il voulait rien savoir de venir ici avec moi. Et il a changé d'idée. Peut-être que le tien changera d'idée aussi.

Peut-être.

J'ai immobilisé la voiture près de l'adresse qu'elle m'avait indiquée. Lui ai dit bonne soirée. Elle m'a remerciée. Et malgré ses tracas quotidiens, elle a débarqué joyeusement de la voiture, rejoindre ceux qu'elle aimait.

Marc. Il n'avait pas raté une seule journée d'école depuis son retour. Il avait cessé de rouspéter et prenait au sérieux mes recommandations sur les travaux à faire. Paradoxalement, j'ai eu peur qu'il ne soit atteint d'une déprime profonde. Même si tout dans son comportement faisait mentir cette hypothèse. Ce changement d'attitude m'inquiétait de plus en plus.

Je l'ai pris à part après un cours, ignorant ma crainte de faire une gaffe, de raviver une douleur tout juste pansée.

Marc, je voulais te dire que je vois tous les efforts que tu fais en classe. Si tu continues à ce rythme, c'est une belle réussite qui t'attend.

Ah c'est cool, madame.

Je veux quand même te poser la question. À part l'école, ça va toi ? À la maison, comment ça va ? Ou avec tes amis ?

Ben…

Il a pris une grande respiration.

Oui ?, l'ai-je encouragé.

Je vais partir d'ici. Quand j'aurai fini mon secondaire, je vais déménager à Québec. Je veux aller faire mon cégep là-bas. Je suis comme tanné, madame, d'ici. Je veux partir de Uashat.

Il me touchait. Sa détermination, sa fougue me touchaient.

Tu vois, madame, c'est pour ça que t'as remarqué que je travaillais plus.

Oui je vois. Crois-moi, on va travailler fort ensemble pour que tu réussisses.

L'enseignante de mathématiques avait raison. La force de Marc, elle était bien au-delà de ce que je pouvais imaginer.

Le bingo de Noël. Avec mes élèves les plus vieux, j'ai organisé un dîner fondue pour la dernière journée de classe avant les vacances des fêtes. Chacun a contribué au repas. Des baguettes de pain, des patates, des sachets de bouillon, du fromage, des salades. Une fille a réussi à soutirer un plat de caribou coupé en petites tranches à son père. J'ai fait commanditer la viande à fondue par le directeur. Ma classe, habituellement en rangées, était installée en îlots. Sur les bureaux, j'ai posé des nappes blanches en plastique et des assiettes rouges. Une musique d'ambiance de Noël accueillait les élèves. J'ai souri. Enfin, je retrouvais la parfaite hôtesse en moi.

Les élèves sont entrés un à un, ont posé leur sac de nourriture sur mon bureau, et leur manteau sur le dossier d'une chaise, en poussant des *pas pire, ah c'est cool*, pas extrêmement enjoués. Mais sincères.

De ma mère, j'ai appris le plaisir des jeux en groupe. J'ai choisi trois jeux simples, qui nous permettraient de rire, de parler, de concourir. Oublier pour une heure ou deux nos rôles respectifs de maîtresse et d'élèves. Créer un pont. Le premier était un jeu d'imitation. Le but était de faire deviner à son équipe le personnage célèbre inscrit sur le bout de papier. Un jeu simple, mais pas nécessairement facile. Mes élèves ont exigé que je donne l'exemple. Mimer Hulk en pleine transformation. Il a fallu que je me débarrasse de mon orgueil.

J'ai commencé par marcher d'un pas nonchalant entre la porte et la fenêtre. En plein milieu de la classe, j'ai éclaté, poussé un grognement et métamorphosé mon visage en celui d'un monstre. Tous se sont mis à rire, aux éclats. Moi aussi. Et ils en ont redemandé. Il a fallu que je recommence deux autres fois mon numéro pour les convaincre de jouer à leur tour. Puis, ils se sont jetés à l'eau. Les uns après les autres.

Ah non! Moi j'fais pas ça.

Fidèle à elle-même, Mélina s'est opposée à toute forme de ridicule.

Allez, Mélina, c'est à ton tour. Tu n'as pas besoin de faire des gestes, dis juste une phrase, l'encourageai-je.

Ah, non madame! J'haïs ça moi ce jeu-là.

Allez… Elle a dit que t'as juste à dire une phrase. Sois pas gênée, l'a encouragée Mikuan.

Ouin, c'est vraiment pas dur, a insisté une autre élève.

Bon… Humm… J'sais pas quoi dire.

Ah! Elle niaise trop madame. Passe son tour.

Je suis sûre qu'elle peut le faire.

Nous l'avons regardée quelques secondes durant lesquelles visiblement elle se débattait intérieurement entre l'idée d'écorcher sa fierté et son envie de faire rire ses camarades.

OK… j'y vais… heu… Mon précieux…

Seigneur des anneaux!

La classe entière a éclaté de rire. Elle aussi. Ces éclats m'ont bercée. Je les ai enregistrés dans ma tête. Et les yeux en demi-lune, et les grands sourires éclairant les visages de mes élèves, et les têtes qui basculent vers l'arrière, comme si rire était davantage une question de posture que d'humour bien placé. Pour la première fois depuis le début de l'année, ils me faisaient une place dans leur univers.

Après le dîner, des activités étaient organisées, hockey bottine extérieur, karaoké, artisanat, cinéma, ski de fond pour toutes les classes. Je me suis inscrite au hockey. Il y a des années que je n'y avais pas joué. Les élèves m'ont fait des passes que j'étais incapable d'intercepter. Je perdais le souffle très vite et j'échangeais avec un autre joueur à toutes les cinq minutes. Les garçons étaient forts, rapides. Plusieurs jouaient pour des équipes de hockey sur glace. On disait qu'ils dominaient dans les tournois. Ils ont continué à me faire des passes durant toute la partie. Elles étaient moins rapides, envoyées directement sur ma palette et moins fréquentes. L'air était froid et sec. Des élèves ont préparé du chocolat chaud à la guimauve.

◆

À la fin de l'après-midi, les tables alignées dans le gymnase. Quelque deux cents élèves, marqueur à la main, prêts pour la dernière activité : le bingo. J'ai choisi de m'asseoir avec deux élèves à qui je n'enseignais pas. Ils ont joué dans mon équipe et j'ai appris leur nom. Mathias et André. Tous deux étaient en enseignement individualisé. Il s'agit d'un programme pour ceux qui ont cumulé trop de retard dans les matières de base. Une forme de cours aux adultes. Des cahiers à remplir et très peu d'enseignement magistral. Personnellement, j'avais du mal à croire que les élèves pouvaient aboutir à un quelconque résultat dans un tel cadre. Et je m'efforçais de comprendre en quoi un adolescent pouvait avoir la motivation d'un adulte pour s'atteler à son autoformation.

Ils étaient deux farceurs. Matthias avait les cheveux longs qui lui tombaient sur une partie du visage et André, les cheveux courts et hérissés. Ils étaient sans cesse en train de se moquer d'eux-mêmes. L'un renchérissant rapidement sur la plaisanterie de l'autre. J'ai ri. Et peut-être à cause de la fatigue de cette journée prolongée, à cause du froid durant la partie de hockey, à cause du dîner que j'ai tant apprécié, à cause des vacances qui me permettraient de reprendre un peu mon souffle, ou juste à cause de ces deux-là qui me rappelaient l'adolescente que j'ai été il n'y a pas si longtemps, j'ai ri. J'ai ri fort en me tenant le ventre. M'essuyant les yeux. J'ai ri sans arrêt.

Nicolas. La journée a été belle, et j'ai eu envie de la partager avec lui. Son téléphone a sonné deux fois. Puis il a répondu.

Allo, c'est moi.

Yammie, ça va ?

Super, je riais, et toi ?

Ça fait un bout que je veux t'appeler mais je trouve pas le temps. Je suis chez mes parents.

Oui oui je les entends parler. Dis-leur salut de ma part.

Yammie… je suis désolé de pas t'avoir appelée avant. Je suis venu avec quelqu'un chez mes parents.

Je ne comprends pas… Tu es venu avec qui ? Qu'est-ce que tu veux dire ?

J'ai rencontré quelqu'un.

Ah, bon…

Oui…

Et quoi ? Tu l'as amenée chez tes parents ?

Ouais.

C'est comme ça que tu m'annonces qu'on n'est plus ensemble ?

Excuse-moi.

C'est quoi ton foutu problème ? Tu n'es même pas capable de me dire que c'est fini avec moi, et déjà t'es en couple avec quelqu'un d'autre ?

Ben je suis pas en couple.

Ouais, mais tu l'as présentée à tes parents…

C'est juste qu'elle est jamais venue dans le Bas-du-Fleuve pis elle savait pas quoi faire en fin de semaine. C'est genre une amie.

Une amie…

Ouais une amie.

Une amie mon cul!

Ouais.

Tu sais quoi?

Quoi?

Fuck you!

◆

J'ai raccroché avec rage sans me rendre compte que de grosses larmes coulaient sur mes joues. Je l'ai imaginé avec sa petite amie, soulagé d'avoir enfin pu me dire la vérité. Ses parents heureux de voir leur fils avec une fille à proximité, prête à s'engager sérieusement. Une fille blanche, j'en étais sûre. Avec des yeux bleus comme ceux de Nicolas et des cheveux moins raides que les miens. C'est ainsi qu'il me jetait. Une paire de chaussures usées à mettre dans les vidanges.

Cette nuit-là, brisée, j'ai évacué ma douleur dans le cabernet. Tard, je lui ai écrit un courriel plein de colère. Je me suis endormie sur le divan, le mascara sous les yeux et le visage boursouflé.

LA VIE EST UN COMBAT

Retour. J'avais l'espoir de recommencer les classes en douceur. Le temps des fêtes avait été un enchevêtrement de repas familiaux et d'achats compulsifs. Je suis restée auprès de ma famille. La seule idée de me retrouver dans la même ville que Nicolas, même pour un seul week-end de shopping à Québec, me démolissait. Ma mère m'a posé des questions sur ma relation à distance dès le début du congé. J'ai supposé qu'elle avait compris, avant que je lui réponde, que nous avions décidé de rompre. Elle a dit en me prenant dans ses bras alors que je ravalais mes larmes.

Pleure ma fille. Les choix qu'on fait sont souvent difficiles à expliquer. Et lorsque les gens ne comprennent pas nos choix, ils s'éloignent, parce qu'ils ont peur, tu vois, que ce soit nous qui nous éloignions avant eux.

J'ai su qu'elle ne parlait pas de moi. Elle parlait d'elle il y a vingt ans. De sa fuite vers la grande ville. De l'incompréhension puis du rejet de ses parents, de ses sœurs. Sa rébellion envers la règle non écrite de rester à jamais dans la réserve. D'y élever ses enfants. D'y bâtir sa maison. J'ai su qu'elle ressentait ma douleur, par commémoration.

Et parce qu'elle connaissait bien Nicolas, et parce qu'il avait toujours été charmant avec elle, parce qu'elle s'y était attachée, elle a eu, je crois, elle aussi, le cœur dans la boue quelques jours.

Plusieurs fois durant le long congé, j'ai ressenti le désir intense de le rappeler. D'entendre sa voix me supplier de lui pardonner l'erreur qu'il a commise. Surtout lorsque j'étais seule dans un quatre et demi. Surtout lorsque ma colère s'apaisait et que j'arrivais à comprendre que mon absence l'ait poussé vers une autre fille. Surtout parce que je me sentais fautive de ne pas être restée avec lui, d'avoir abandonné notre amour au nom de ma carrière, égoïstement. Mais jamais je n'ai succombé à cette envie, parce qu'une part de moi exigeait que l'on m'aime sans limites de distance ou d'appels écourtés par de la fatigue accumulée. Alors je refoulais. Me convainquant d'une fois à l'autre que la douleur s'estomperait. Que ça aussi, ça passerait.

Au retour, le directeur m'a fait appeler à son bureau. Ce n'était pas dans ses habitudes. Dans les faits, il ne se mêlait pas du travail des enseignants, de leur rendement, des difficultés dans les classes. Il ne faisait pas de visites surprises en plein milieu d'un cours, comme certains le font en restant plantés quelques minutes devant le carreau de la porte. C'était un semblant de confiance. J'ai appris plus tard qu'il tenait un journal dans lequel s'alignaient les noms de tous les employés sous sa charge. Que dans un carnet, il notait les moindres bruits qui couraient sur eux, infirmés ou certifiés par les élèves eux-mêmes. Donc, lorsqu'il convoquait un professeur à son bureau, ce n'était jamais aléatoirement pour se renseigner sur la situation des groupes. C'était pour une raison très précise et souvent désagréable.

Yammie, j'ai un projet pour toi. Le Conseil des arts propose de nouvelles subventions pour les écoles autochtones qui décident de monter une pièce de théâtre. Là, mon enseignante d'art sait plus quoi faire de ses élèves dans son parascolaire. Ils sont trente quelques. Et j'ai pensé que ça t'intéresserait de faire du théâtre avec les élèves. Ça va bien avec le français. La diction, l'oral, les affaires de même. Et t'es toute jeune, pleine d'énergie. Tu ferais ça durant le parascolaire, deux fois par semaine. Je te donnerais une quinzaine d'élèves de secondaire trois à cinq. Qu'est-ce que t'en penses ?

Je l'ai écouté en hochant la tête.

Je comprends que c'est un beau projet. Est-ce que je peux y penser quelques jours ? Je dois avouer que les élèves ont beaucoup de retard en français, et j'aimerais que les élèves de cinq soient bien préparés pour l'évaluation du Ministère. Sincèrement, je ne sais pas si j'aurai le temps.

Je comprends, je comprends.

Il a pris ce ton qu'il utilisait lorsqu'il s'adressait à un élève qui se tenait sur la limite du manque de respect.

Je vais te laisser y penser. Sache que si je t'ai offert ceci, c'est parce que j'ai entendu des bonnes choses sur ta classe et que je crois que tu es capable de monter ce projet-là.

Je n'ai jamais fait de théâtre. Je ne sais pas si j'ai vraiment les qualifications qu'il faut, ai-je dit pour me défendre.

Oui, je comprends. Les élèves aussi n'ont jamais fait de théâtre. Vous apprendrez ensemble. Ça ne doit pas être si compliqué d'apprendre des textes par cœur et de les réciter en portant un costume. Tu sais je connais ces jeunes et ils pourront à différents niveaux améliorer leurs compétences en français par le théâtre. Écoute, je peux proposer ce projet à quelqu'un d'autre mais d'expérience je peux déjà te dire que c'est le genre de cours qui donne l'occasion de créer des liens avec les élèves. Puisque tu es nouvelle, j'ai pensé que ça pourrait te faire plaisir.

Il n'en a pas fallu davantage pour me convaincre. Je n'ai pas réfléchi. J'ai accepté.

Parfait, parfait, a-t-il dit en se raclant la gorge, on commence cette semaine. Demain, on va noter les noms des élèves intéressés. On va monter ta liste et tu pourras commencer... Il a fouillé dans ses horaires, mercredi.

S'est conclue ainsi ma première convocation au bureau du directeur. Je me suis dit, honnêtement, que ce n'était rien de si terrible.

Théâtre. J'avais lu *Roméo et Juliette*, *Hamlet*, *Rhinocéros*, *Le malade imaginaire*, des pièces comme ça, que l'on nous fait lire au cégep pour l'acquisition d'une culture générale. Et à l'université, pour nous épater et nous faire réaliser que l'on est encore des ignorants. J'ai fouillé dans ma bibliothèque: *La face cachée de la lune*, *C'était avant la guerre à l'Anse-à-Gilles*, *Rêves*, *Tartuffe* et *Le Cid*. En feuilletant ce dernier, je suis arrivée à me remémorer une histoire de vengeance, d'amour, d'honneur et j'ai imaginé les costumes médiévaux, les décors de château et les dialogues pointus dans la bouche des élèves. J'ai relu en entier l'œuvre de Corneille. C'était une édition destinée aux adolescents achetée pour un cours sur la littérature jeunesse. On y avait lu *L'attrape-cœur*, également. Celui-là était frais dans ma tête. Je m'étais promis de le faire lire à mes élèves, jusqu'à ce que je réalise qu'il n'y avait ni budget ni réel désir d'investir dans des romans jugés rebelles. *Le Cid* était imagé, la typographie choisie exprès pour rendre la lecture en alexandrins attrayante. J'ai concédé que le vocabulaire était difficile et la longueur de la pièce n'était peut-être pas réaliste pour les deux séances de préparation par semaine. Un défi. C'était exactement ce dont j'avais besoin en ce moment. Un projet impossible à accomplir. Je me suis endormie satisfaite de mon choix.

Rodrigue. Encore une fois, à la dernière période de la journée, il m'a mise hors de moi. Il a d'abord refusé de travailler. La tête couchée sur son bureau, les bras pendant vers le sol, je ne voyais que ses cheveux ébouriffés sur la dernière rangée à l'arrière. Je lui avais désigné cette place exprès pour ne pas l'avoir près de moi à chaque cours.

Lève ta tête Rodrigue. Et ouvre ton livre, ai-je dit avec une pointe d'impatience.

Aucune réponse, sinon un grognement déplaisant à travers les manches de son coton ouaté. Et des rires à peine retenus autour de lui. Ce groupe, d'avance, manquait de discipline. Même si au fil des mois j'avais obtenu d'eux suffisamment de calme pour l'enseignement et le travail individuel, jamais, au grand jamais, je ne leur offrais de travailler en équipe et ils m'en tenaient rigueur sans aucune gêne pour me dire combien j'étais *pas cool* et *vraiment plate* comparativement aux autres enseignants. Ces rires ont haussé d'un cran ma détermination en même temps que mon ton.

Rodrigue, lève ta tête et commence à travailler. Je ne te le dirai pas cent fois.

Péniblement, il a relevé la tête tout en repoussant son manuel et croisant ses bras sur sa poitrine. J'ai grogné à mon tour. C'était un tic que j'avais depuis des années. Lorsqu'une situation me déplaisait, je grognais, un chat qui se fait piler sur la queue. Je l'ai affronté devant le groupe qui commençait à s'agiter. Mon autorité était minée, et je devais faire le choix de ne pas ramollir.

Rodrigue, change d'attitude sinon tu vas aller voir monsieur Boulanger. Je suis tannée de toujours devoir te pousser pour que tu travailles.

Ben si t'es tannée, lâche-moi.

Il a remis sa tête sur son bureau en fermant les yeux et j'ai explosé.

Rodrigue, j'arrive pas à comprendre pourquoi t'es ici, si c'est pour dormir et pas travailler. J'arrive pas à savoir ce qui te pousse à te lever le matin si c'est pour rien apprendre. Explique-moi, je criais presque.

Lâche-moi, j'en ai rien à foutre de ce que tu me dis. J'dors pas là. Laisse-moi tranquille, a-t-il lancé en reculant sur sa chaise.

Je sentais mon cœur battre fortement.

OK, OK, je vais te laisser tranquille. Sors de ma classe et je ne veux plus te revoir ici avant que j'aie décidé de te rencontrer.

Il s'est levé. Il avait quinze ans, mais la carrure d'un homme de vingt ans, plus grand que la moyenne. Costaud, il savait bien l'effet qu'il pouvait avoir sur les autres, en particulier sur une petite enseignante d'à peine un mètre soixante. Il n'était pas en colère, il n'avait pas besoin d'être en colère pour être menaçant.

J'ai repris place à mon bureau, alors qu'il ramassait son sac et ses crayons. J'ai vu un petit rictus sur ses lèvres. J'ai tâché de garder mes yeux rivés sur les corrections que j'étais en train d'effectuer. Parlant à ma conscience afin de réussir à me calmer. Mais sa dernière phrase m'a achevée.

Enfin, plus de cours de français, a-t-il dit en nous envoyant des doigts d'honneur, à moi et à la classe entière.

Sors d'ici!

Malgré moi, des larmes ont monté à mes yeux. Toute mon énergie était concentrée à ne pas les laisser couler. Je n'ai pas entendu la cloche sonner quelques minutes plus tard.

J'ai simplement constaté que les élèves se sont jetés à l'extérieur de la classe, beaucoup trop tendue pour un lundi après-midi. En replaçant mes manuels, j'ai pris la ferme décision de ne pas réintégrer Rodrigue d'ici la fin de l'année. C'était sans appel.

La troupe. Le mardi en après-midi, j'ai reçu la liste, non finalisée m'a prévenue la secrétaire, des élèves qui feraient partie de la troupe de théâtre. J'hésitais à nommer ce nouveau groupe, formé d'élèves plus ou moins sérieux, en quête de nouveauté, insatisfaits des projets de poterie et de gravures, une troupe. Et pourtant, c'est ce que nous devions devenir. Moi, metteure en scène. Personne n'aurait pu prédire ça. Mes sœurs se seraient moquées de moi, auraient fait allusion à mon incapacité à mimer des voix ou à raconter une blague en public.

J'enseignais déjà à la plupart des élèves inscrits. Une liste de seize noms. Parmi eux, il y avait des élèves bavards, très énergiques, catégorisés par certains enseignants de TDAH, trouble déficitaire de l'attention avec hyperactivité, même s'ils n'avaient jamais reçu de diagnostic. Ça ne m'a pas étonnée. Ils avaient sans doute senti la faille dans laquelle se glisser pour laisser vivre toute cette énergie contenue durant les nombreuses heures assis à un bureau. Une recette gagnante? Je gardais bon espoir. J'ai lu également le nom de Mikuan, Marc et Rodrigue. Ce dernier nom m'a fait sursauter. J'avais pourtant prévenu le directeur qu'il était hors de question qu'il revienne dans ma classe de français. Et ce, même s'il se présentait spontanément devant le local à chaque début de cours depuis notre dispute. Je lui interdisais d'entrer d'un signe de la main. Devant un si grand manque de respect, j'ai choisi d'instaurer la loi martiale. Aucune discussion, aucun compromis. De voir son nom sur la liste, mon orgueil en a pris un coup. Peut-être ne me prenait-on pas au sérieux dans cette école ? Ma colère ravivée, Rodrigue serait exclu du théâtre en plus des cours de français, tant que je ne déciderais pas de le rencontrer. Résolue à le faire attendre aussi longtemps que je le désirais. Ce n'était pas juste. Je le savais. Je l'assumai.

Soirée. Ma cousine avait choisi de se marier en hiver. Les demoiselles d'honneur et leurs amies ont travesti la salle communautaire aux murs jaune pâle en salle de réception pour la soirée. Des voiles transparents au plafond, des ballons rouges et blancs gonflés à l'hélium au bout de rubans argentés, des sapins illuminés par des lumières de Noël. C'était réussi. Les gens ont commencé à arriver pour la soirée dansante un peu après le bingo. La lumière tamisée des chandelles rendait l'ambiance chaleureuse. Les tables étaient disposées en rangées des deux côtés de la scène, sur laquelle les musiciens accordaient leur guitare, laissant un grand espace pour la danse. J'ai pris place à une table ronde avec mes tantes, les sœurs aînées de ma mère. Elles attendaient le premier accord pour se lever et aller danser. Leurs vingt ans jamais passés. Les nouveaux mariés sont arrivés sous les acclamations et les flashs des photographes. Ils ont servi du champagne aux invités.

Assise dans le coin de la salle, je le vois qui vient me parler. Je l'entends encore dans ma tête. Sa voix rauque. Confiant. Nos épaules qui se frôlent. Complètement ivres de rires et de vin. Je l'entends qui me répète que je suis ce qu'il a vu de plus joli ce soir. Des mots doux chuchotés, près de l'oreille, de l'âme fragile. Après son set de chansons, après la danse, au *last call*, ce n'est pas de ma faute si je lui saute au cou pour l'entendre encore me murmurer que je suis belle. L'odeur d'après-rasage qui se mélange à celle de la sueur.

Il part avec sa guitare dans une main, une cigarette dans l'autre. Il est grand, mince. Les cheveux foncés, longs, attachés. Une barbe de trois jours. Des yeux clairs, excités. Il me dit qu'on se reverra. Il me sourit. Démunie, du chocolat qui fond sous la chaleur du soleil. J'ai glissé mon numéro de téléphone dans sa poche.

Théâtre. Nous n'avions pas de temps à perdre. Nous étions en janvier et il fallait que la pièce soit prête pour la mi-juin. Je vivais toute sorte d'émotions. De la peur, du stress, de l'excitation. Comment savoir ? J'ai fait des milliers de photocopies pour le premier cours. Nous mettrons en scène *Le Cid* ou rien. Apprendre le texte monopoliserait une bonne partie des cours. Créer les décors, les costumes. Imaginer les déplacements, les combats. La pagaille dans ma tête et l'infaisable dans mes mains. Je frissonnais d'impatience.

J'aurai dû m'y attendre. J'ai eu droit à un tollé de commentaires désapprobateurs lorsque j'ai fait la description de la pièce et lu quelques extraits particulièrement éloquents du genre.

Franchement madame, il est trop dur ton texte !

C'est super vieux. Personne va comprendre quand on va parler.

Ah non ! Moi je jouerai pas un Espagnol.

Pourquoi t'as pas pris une pièce qui parle des Innus ? Ou qui se passe au Québec au moins.

Il m'a fallu une bonne dizaine de minutes, à travers ces huées, pour leur dire que le fait de jouer des personnages aussi éloignés de leur réalité les plongerait plus facilement dans le théâtre. Qu'ils auraient moins peur de se laisser aller. Puis il y aurait les costumes, les accessoires, les décors et le temps qu'on mettrait à répéter. Même si aujourd'hui ça leur semblait insurmontable, il fallait oser. Déçue de leurs réactions. J'ai manqué d'arguments pour les convaincre. Mikuan est venue à mon secours.

Moi je pense que c'est une bonne pièce. On peut le faire et imaginez les robes de soirée et les décors. C'est style Roméo et Juliette. C'est ça madame ?

Oui. Exactement. Vous avez sûrement déjà rêvé de jouer dans une pièce comme ça ! *Le Cid*, c'est ça. On va faire quelque chose de grand. Vous comprenez ?

Peu à peu, les murmures ont cessé. J'ai soupiré. J'ai réalisé que cette tâche ne faisait que commencer.

◆

Heureusement, la distribution des rôles s'est faite plus aisément. Après une description précise des personnages, nous avons décidé ensemble comment attribuer les rôles, qui d'entre nous allait jouer quel personnage. J'ai cru qu'il valait mieux les impliquer pour ça. Marc a été désigné pour interpréter Don Rodrigue, le héros principal. Trois garçons voulaient ce rôle, mais j'ai senti dans ma troupe un désir bienveillant envers celui qui avait perdu une grande partie de lui-même récemment. J'ai approuvé. Ensuite, Myriam s'est proposée pour jouer Chimène, une femme accablée par l'amour. Derrière ses cheveux courts et ses yeux timides, le risque qu'elle prenait pour jouer le personnage féminin principal m'a surprise. Toutefois, j'ai retenu sa candidature. Mikuan jouerait Elvire, la gouvernante de Chimène. Puisqu'elle possédait déjà les attraits maternels, ça m'a plu. Tous les rôles ont été comblés dès le premier cours. Il était convenu que ceux qui avaient des rôles secondaires prendraient de plus grandes responsabilités dans les tâches connexes. Les élèves sont partis de bonne humeur, quelques-uns récitant un alexandrin ou deux à la française. Rigolant comme s'ils apprenaient une langue nouvelle.

Il verra comme il faut dompter des nations /Attaquer une place, ordonner une armée / Et sur de grands exploits bâtir sa renommée.

Sortie éducative. C'étaient les portes ouvertes au Cégep de Sept-Îles. Tous les élèves du deuxième cycle étaient conviés à découvrir leurs perspectives d'avenir. Du moins, l'univers des possibles qu'offrait une ville aussi modeste. Les jeunes étaient fébriles et satisfaits de ne pas aller en cours cet après-midi-là.

Je me promenais de kiosque en kiosque, me demandant pourquoi je n'avais pas choisi de devenir journaliste ou chroniqueuse. L'écriture avait toujours fait partie de ma vie et je me serais bien vue à la cinquième page d'un quotidien, me positionnant sur des enjeux nationaux selon mes valeurs plutôt conservatrices. Analysant scrupuleusement l'actualité et écrivant avec passion des éditoriaux sur des sujets polémiques. Je me suis dit que derrière le crayon du chroniqueur, existait forcément un certain confort. Eux ne se faisaient pas huer par une bande d'adolescents pour un choix de pièce de théâtre jugée antique. Deux jeunes filles, des élèves de troisième secondaire, assises sur un banc près de la porte, observaient les gens en chuchotant. Je me suis approchée d'elles.

Sont poches eux autres qui sont racistes avec nous.

Ouais, on devrait leur donner des amendes.

Ouais ! Genre cinq cents dollars chaque.

Les deux jeunes filles se sont mises à rigoler.

On serait riches.

La chronique avait ses intérêts. Toutefois, encore fallait-il être en mesure de capter lucidement sa société. À l'instar de ces deux filles qui rarement mettaient les pieds hors de la réserve.

Lorsque la nuit tombe. Depuis janvier, les froids intenses s'étendaient. Allant de moins quarante la nuit à moins trente en plein midi. Je détestais particulièrement le vent du nord. Des rafales à vous faire ravaler la cigarette tout juste allumée à neuf mètres de la porte principale. Je courais de ma voiture à l'école en tenant mon capuchon bien serré sur ma tête.

Je venais tout juste d'arriver dans la salle des enseignants lorsque la voix du directeur a annoncé par l'interphone que le personnel devait s'y présenter immédiatement. Quelques enseignants se déshabillaient, enlevaient leur énorme foulard et enfilaient rapidement une veste de laine. D'autres sont arrivés avec leur thermos dans une main, une pile de photocopies dans l'autre, contrariés dans leurs tâches de dernière minute. Petit à petit, le brouhaha s'est intensifié. Monsieur Boulanger s'assura que nous étions tous présents en nommant à haute voix ceux qu'il jugeait le plus probable d'être en retard. Ce qui nous a fait rire, mais il a hoché la tête avec dédain. Le silence a rempli la pièce. Il a fermé la porte derrière lui.

Ce que je vais vous dire ce matin est très difficile, je n'irai donc pas par quatre chemins, Marithée s'est enlevé la vie cette nuit.

Les souffles ont cessé. Le silence, total. Tous, saisis. Marithée avait quitté l'école en début d'année. Elle s'estimait trop vieille et j'avais cru comprendre qu'elle n'arrivait pas à réussir les cours de base. Depuis, elle était revenue quelques fois, pour rendre visite à ses enseignants, son garçon de deux ans dans un carrosse neuf. Une fille très belle, grande, à la peau pâle.

De là où j'étais assise, j'ai bien vu que le regard inébranlable de notre directeur était voilé et humide. Il a pris son temps pour continuer.

La majorité des élèves doivent déjà être au courant. Sa famille, ses amis l'ont su cette nuit. Vous savez comme les nouvelles circulent vite dans la communauté. Il est possible que certains élèves ne le sachent pas. C'est donc notre devoir de faire preuve de tact.

Il a fait une pause durant laquelle les enseignants tournèrent leur regard vers le sol en hochant la tête. L'une d'entre nous n'a pas pu retenir ses larmes. À travers ses plaintes, elle essuyait ses yeux qui ne cessaient de couler avec des mouchoirs. Elle enseignait aux groupes individualisés. J'ai compris qu'elle lui avait enseigné, peut-être durant quelques années.

Rapidement, ma pensée est allée vers Myriam. Sa sœur cadette. Ma douce Chimène. Où était-elle en ce moment ? Avec sa famille. Son amoureux. Près, très près de ceux qu'elle aimait. J'imaginais les tourments. Le cœur qui se braque. Le cauchemar d'être réveillée en pleine nuit et de se faire dire que… que quoi ? C'est pour elle que mes yeux se sont embués. Et pour la fatalité. Et pour la souffrance qui fait mourir. Et pour la peur. Pour cette envie irrépressible d'être ailleurs.

Là, ce que je vais vous demander, c'est d'être solides. Faites comme d'habitude. Je prévois devoir gérer des crises toute la journée. Je vous demanderais de faire votre part pour tenter le plus possible de garder les élèves dans vos classes.

Il s'est raclé la gorge bruyamment.

On va faire en sorte que la journée se passe pour le mieux. Le mieux que ça puisse aller, du moins.

Il n'avait pas le droit de se défiler. Il devait rester solide. Toutefois, une émotion neuve était tangible chez lui. On aurait dit qu'il avait envie d'empoigner la table sur laquelle il s'appuyait et de la jeter à bout de bras. Et ses soupirs ne suffisaient pas à calmer son ardeur. Il est sorti prestement en nous assurant que les services sociaux seraient sur place d'ici peu. Une escouade tactique que le Conseil avait instaurée spécifiquement pour un moment comme celui-ci : un suicide.

◆

Je commençais la journée avec mes élèves de cinq. J'avais prévu revoir l'argumentation, Dieu sait qu'ils en avaient besoin, à partir d'une chronique de Pierre Foglia sur les infirmières qui travaillent dans les centres d'hébergement et de soins de longue durée. Je voulais faire une première lecture en groupe, à tour de rôle, comme nous en avions pris l'habitude, et ensuite, individuellement, ils auraient identifié la thèse et les arguments du chroniqueur. Je me serais sentie dans mon élément. J'avais une admiration sans bornes pour ce chroniqueur et le texte était sensible et éclairant. Je les voyais entrer dans ma classe, plus nombreux encore que je ne l'avais estimé en cette journée tragique, les uns silencieux et la mine basse, les autres retenant difficilement leurs larmes. De jeunes filles, tremblotantes, de grands garçons immobiles devant moi. Je ne savais pas où était mon devoir. Cette fois, je n'ai pas eu le temps de questionner ma collègue sur la manière d'agir. Le directeur nous avait demandé de continuer les cours. Pourtant, quelque chose en moi me pressait de faire autrement.

Je ne sais pas vous, mais moi, aujourd'hui, je n'ai pas envie d'enseigner.

Une larme a coulé de mes yeux et je l'ai écrasée avec ma main. D'être là, devant eux, vulnérable, m'a fait souffrir autant que cela m'a permis de poursuivre dans ma lancée.

Je veux vous proposer une chose, on devrait prendre le temps de se parler. Si vous êtes d'accord, on va tasser les bureaux et placer les chaises en cercle.

Je n'ai reçu aucune réponse. Sinon qu'ils se sont levés et ont fait comme je le leur ai indiqué. Sans ferveur. Avec cérémonie.

Cercle. Assise entre deux élèves, je comprends rapidement que ce genre de thérapie de groupe ne s'improvise pas. Je suis moi-même sous le choc, complètement désorientée. Depuis quelques années, j'avais perdu deux cousines qui s'étaient enlevé la vie. Je vivais alors à Québec, et parallèlement, je ne ressentais pas aussi intensément la tristesse, la colère, le drame. Je les observe un à un. Leurs postures, leur manière de fixer le sol, le dos plus courbé qu'à l'accoutumée, et devant le silence, le silence incommodant, encombrant de ce cercle que j'ai formé, je me décide à parler.

Je crois qu'on doit prendre le temps de dire ce qu'on ressent. Il n'y a rien de pire que de garder pour nous ces choses-là. Je crois que le fait de parler, même si ça fait mal, nous aide à mieux… respirer après. Je vais commencer et après, si vous le voulez, je vais vous laisser parler.

Chacun prend une bouffée d'air. Que peuvent-ils bien se dire dans leur tête ? Où errent leurs pensées ? Pourquoi cette journée doit-elle être si sombre ? Et comment fait-on lorsque la douleur nous rappelle si sauvagement que la vie est un combat ?

Je ne comprends pas et je ne ferai pas semblant de comprendre pourquoi c'est arrivé, dis-je en les regardant à tour de rôle.

Je n'arrive pas à nommer cette mort-là tout haut.

Vous savez, je vis une grande tristesse pour Myriam, pour son amoureux, pour son petit garçon. J'arrête pas de penser à eux et j'ai tellement peur.

À ce moment-là, je pleure et je m'en fous. S'ils ont le courage de se présenter en cours par une journée pareille, je dois moi aussi avoir le courage de leur montrer la tristesse qui m'accable.

Je veux pas que vous le preniez mal, mais je dois vous avouer que je suis en colère aussi. C'est pas censé arriver. Elle n'est pas censée nous quitter. Elle devrait être là, encore, avec nous, et on devrait la voir promener son garçon. Encore.

Me revient en mémoire un cours sur la psychologie de l'adolescence que j'ai suivi. Le professeur exposait les théories sur le suicide. Il disait que de toutes les formes de violences qui existent, le suicide était la pire. Le geste le plus violent que l'être humain peut poser est celui contre lui-même. Cette pensée me glace le sang.

Au même instant, Maya pousse la porte de la classe. Elle nous voit, en cercle, graves. Elle a un court sanglot et cache son visage derrière ses mains. Je me lève rapidement et je la prends dans mes bras, caressant ses longs cheveux noirs. J'ai oublié Maya, la grande amie de Marithée. Récemment, des rumeurs avaient couru à son sujet. Elle aurait tenté de s'enlever la vie et a été internée quelques jours dans l'aile psychiatrique de l'hôpital. C'est ainsi qu'on faisait. La tentative menait à une semaine en compagnie de ceux qui avaient perdu la tête à force d'inhaler des drogues fortes et bon marché, de ceux qui ne ressentaient plus rien grâce aux antidépresseurs que des médecins leur prescrivaient, de ceux qui comme elle, vivaient un noir profond, perdus dans les ténèbres, sans espoir de revoir la lueur. Elle s'effondre dans mes bras. Je l'assieds juste à côté de moi. Je pleure avec elle. Elle est mère elle aussi. De deux jeunes enfants. Je lui chuchote à l'oreille.

C'est l'amour, ma belle, c'est l'amour qui va nous sauver. Ce soir, tu vas prendre tes enfants dans tes bras, et même si ça fait mal, tu vas leur dire que tu les aimes. Plus que tout.

Durant le reste du cours, les élèves parlent peu. Je les encourage sans pression. J'apprends que pour sa famille, c'est un geste inattendu. Il n'y avait rien dans son comportement qui aurait pu suggérer qu'elle vivait cette détresse. Ce désespoir opaque. Insurmontable. Jusqu'à se pendre à un arbre à la lisière de la forêt. J'apprends également qu'elle vient d'une famille nombreuse. Que le plus jeune de ses frères a l'âge de son fils. Que lorsque sa mère a rassemblé ses enfants pour leur annoncer la nouvelle de sa mort, le jeune frère a continué à jouer avec son camion jaune. Et la mère l'a regardé avec envie. Qu'est-ce qu'elle aurait donné pour une seconde d'inconscience.

Madame. J'aimerais qu'on fasse quelque chose pour sa famille. Des lettres ou des mots. Je sais pas trop.

Il faut le faire. Oui.

Et madame ?

Oui.

Est-ce qu'on peut faire une prière.

Je hoche la tête.

◆

Très doucement, elle débute sa prière. Les autres, en unisson, récitent avec elle le Notre Père appris par cœur :

Nutauinan, Tshin uashkut ka tain
Tshima tshitimauenitakanit tshitishinikashun,
Tshima papanit tshitipaitsheun eshpish pishitshikuin nete uashkut Tshima it ute assit.
Ashaminan anutshish kashikat pakueshikan
peikutshishikua tshe ishpaniat, ek^{u}*,*
shueniminan ka ishpish tshishuaitat,
Miam ka ishpish shuenimatshiht anat ka tshishuaimit.
Eka uin patshiteniminan netshishkakuiat,
tiekut pikuinan ka takuak ka matshikaut.
Tshima it.

C'est une série d'yeux boursouflés, de regards jonchant le sol, de soupirs qui ont quitté ma classe. Est-ce que ça leur avait fait du bien ? Je ne l'ai jamais su. Même si rien n'était réglé. Même si la douleur prendrait quelque temps à s'apaiser. Et même si je n'avais pas nécessairement dit tout ce qu'il fallait. Utiliser les mots justes de gestion de crise. Je voulais croire, j'avais besoin de croire, que quelque chose est né ce matin-là. Entre eux et moi. Quelque chose de fragile, sans doute. Du moins, quelque chose de vrai. Comme un début de confiance.

La radio. Le samedi en début d'après-midi, seule chez moi. Je me suis rappelé que c'était l'heure. J'ai éteint la télévision et allumé la radio. J'ai entendu un cantique innu chanté par une femme à la voix claire. Le chant implorait Dieu pour son amour et son accueil. Un chant funèbre. Le prêtre a pris la parole. Malgré l'intonation imitée, l'air chantonnant des textes récités en innu, j'ai immédiatement imaginé le prêtre blanc, vêtu de sa longue tunique de cérémonie, une croix magistrale à son cou.

J'avais choisi de ne pas me rendre aux funérailles, de ne pas embrasser les joues mouillées de la famille en deuil, de ne pas prendre place dans le coin le plus éloigné de la chapelle, de ne pas demander à mes nombreux élèves qui seraient présents comment ils allaient.

C'était triste. Comme seules les funérailles d'une jeune mère peuvent l'être. Les lectures ecclésiastiques soufflées par les membres de la famille. Comme bruit de fond, les cris des enfants emmêlés aux pleurs des femmes. L'espoir fragile du prêtre qui pour la énième fois depuis le début de son mandat guidait le dernier repos d'un membre beaucoup plus jeune que lui. On ne s'habituait pas à la tragédie. Même devant l'espérance d'une vie éternelle. Même si dans la dernière prière, le prêtre certifiait que Marithée était désormais un ange.

La messe terminée, j'ai prié à mon tour. D'abord, pour mes élèves qui devaient dire adieu à l'une des leurs. Puis, pour ma famille, que Dieu nous préserve de ce malheur.

Stanley.

Je peux venir ce soir si tu t'ennuies.

C'est pas vraiment que je m'ennuie. Je suis triste, t'sais.

Des affaires de même c'est fou raide. Faut essayer d'oublier ça. De penser à autre chose. Je vais venir et je vais te changer les idées. Tu vas voir.

OK, je t'attends.

Je raccrochai. C'était simple avec lui. Sans histoire, sans attentes. Depuis le mariage de ma cousine, depuis que j'avais innocemment posé mes lèvres sur les siennes, nous nous voyions de temps à autre. Il venait à mon appartement. Je passais des heures à l'écouter me raconter sa vie, ses exploits, ce pour quoi il était à son apogée dans sa musique et avec les femmes. Il m'amusait. Sa manière de parler sans répit, la gorge en feu, son assurance quand il m'appelait en pleine nuit, complètement défoncé, comme si tout était normal, sa guitare sur les genoux et sa voix grave, m'amusaient. Il avait cinq ans de plus que moi.

Trois années passées avec Nicolas, un gars très correct, gentil, adéquat, poli et tout, avaient complètement faussé ma perception des hommes. Je croyais qu'ils étaient tous gentlemen. Stanley était inadéquat, fumait dans mon appartement même lorsque je le lui interdisais, buvait sans modération et lançait plus de sacres en une phrase que je ne le faisais en un mois. Arrogant, il me parlait de ses jeunes maîtresses pour me rendre jalouse et je l'écoutais en réclamant des détails, pour le mettre en colère. Je lui avouais que je ne tomberais jamais amoureuse de lui. Et il me répondait que l'amour était pour les faibles.

Ce soir-là, il était plus calme que les autres fois. Il était tôt. Il a sorti une bière de son sac à dos et me l'a tendue. Je l'ai prise en chuchotant un merci. J'avais l'attitude d'un chat que l'on aurait blessé, frileuse. J'étais déjà en pyjama, mes yeux démaquillés. Je m'étais enroulée dans une couverture et la télévision était allumée. Il s'est assis à côté de moi et a ouvert sa bière. M'a regardée.

T'es belle à soir. Je suis content de te voir.

Théâtre.

Madame ?

Oui Caro.

J'ai pensé à ça hier, ma mère est super bonne pour coudre des robes, des affaires de même.

Ah oui ?

Oui, j'pense que si on lui demande et si on achète le tissu, elle va pouvoir faire les costumes, sur mesure genre.

Ah ! ce serait super !

Ouais.

Tu lui as déjà demandé ?

Non.

OK. Tu peux lui en parler pour voir si ça l'intéresse. Si oui, je pourrai l'appeler pour que je puisse en parler avec elle. Mais vraiment, Caro, c'est une super idée.

J'pense que je pourrais l'aider un peu. J'pas super bonne, elle haussa les épaules, mais j'capable un peu.

C'est vraiment une bonne idée.

Et avant qu'elle ne reparte de mon local.

J'apprécie Caro que t'aies pensé à ça.

Je me suis dit, en me remettant à ma correction, que cette implication spontanée valait bien toutes les huées du monde.

Rodrigue. J'ai cogné à la porte de la classe d'anglais. L'enseignante a ouvert en me demandant si ça allait. Je lui ai dit que je devais rencontrer Rodrigue. Elle l'a appelé. Il est sorti de la classe, la mine basse, en me suivant jusque dans ma classe. Les lumières étaient éteintes et le soleil du matin plombait au-dessus des pupitres. Je m'étais levée de bonne humeur et j'avais décidé de le réintégrer.

Il a pris une chaise sur le pupitre devant le mien et s'est assis en posant ses mains sur ses genoux.

Bon, es-tu prêt à ce qu'on se parle ?

Ouais.

Comprends-tu pourquoi je t'ai exclu du cours ?

Ouais.

Dis-moi, alors ce que tu comprends.

Ben… parce que je voulais pas travailler.

Oui. Et maintenant es-tu prêt à travailler ?

Ouais.

Mais tu comprends que c'était pas juste à cause de ça.

Ouais… Il a eu un sourire gêné. Parce que j'ai fait *fuck you.*

Je le regardais dans les yeux.

Tu m'as manqué de respect et tu as manqué de respect à toute la classe. Et ça je peux pas l'accepter.

Il fixait le sol.

Je sais, madame. Je le ferai plus.

J'aimerais aussi que tu t'excuses.

Oui c'est sûr… je m'excuse.

J'ai repris avec une voix plus douce.

C'est bon. Tu pourras revenir dans les cours.

M'ouais.

Tu peux retourner en anglais, lui ai-je dit avec un sourire.

OK.

Il a remis la chaise sur le pupitre et s'est dirigé vers la porte. Avant de sortir, il s'est retourné et m'a dit dans le cadre de porte.

Pis pour le théâtre ?

Oui, tu pourras venir aussi.

Il m'a souri sans rien dire. Je l'ai regardé sortir de ma classe, la tête un peu plus droite et légère, il m'a semblé.

Le cours.

Madame, qu'est-ce qu'on fait aujourd'hui ?

Du français, ma belle. C'est le dernier cours pour terminer votre travail écrit. Toi, j'pense que t'étais déjà en train d'écrire le propre.

Oui, j'ai presque fini.

Et avant que la cloche sonne le début du cours, ma jeune élève s'est mise au travail. Elle a ouvert son document intitulé *Concours Récits et Arts autochtones* et avec un stylo bleu, elle a commencé à écrire. Son titre : *Lettre à mon fils.*

Théâtre. La question que je me posais était indélicate et essentielle. Laquelle de mes élèves allait jouer Chimène à présent? Deux semaines étaient passées et Myriam n'était toujours pas de retour. Je comprenais ses absences et pour rien au monde je ne me serais permis de la juger. Perdre sa sœur à cet âge-là, c'était comme perdre un bras. On ne sait plus comment bouger, comment jouer, comment garder l'équilibre. On n'a plus envie de danser, de faire rire les autres, de bercer son garçonnet. Car Myriam était mère également. D'un bébé d'à peine un an. Depuis la rentrée scolaire, elle avait pris une entente avec sa belle-mère pour pouvoir aller à l'école. Après les cours, elle terminait ses journées une fois la maison propre, son fils endormi et les dizaines de pyjamas miniatures lessivés, séchés et pliés. Elle avait dix-sept ans. Malgré cela, depuis le début de l'année, elle ne rechignait pas devant un travail long en écriture ou un roman à lire en devoir. Bien sûr, elle me servait parfois l'excuse du bébé malade comme le faisaient les autres mères dans mes groupes, toutefois, elle me questionnait toujours sur le travail à reprendre. C'est pourquoi, lorsqu'elle m'avait proposé de jouer Chimène, malgré l'ampleur du rôle à apprendre par cœur, je le lui avais accordé. Elle était fiable.

Seulement, sa vie avait chaviré. De la deuxième de la famille, elle était devenue l'aînée. C'est sur elle à présent que sa mère comptait pour l'aider avec ses frères et sœurs. Ce devait être lourd. Exigeant de les réconforter tour à tour. De leur dire que, non, Marithée n'est plus là, mais que maintenant, où elle est, dans le ciel bleu, il n'y a plus de colère, plus de larmes, plus de mal. Imaginer ma jeune élève et son drame sur les épaules déchirait mon cœur un peu plus. Puis il y avait les autres. La troupe. Marc, Mikuan, Caro, Steeve, Shikuan, Rodrigue aussi. Je devais prendre en compte leurs efforts. Leur persévérance lors des lectures. Leur attention toute concentrée à ne pas cafouiller entre deux mots difficiles. Je ne pouvais pas me résigner à risquer la réalisation de la pièce.

◆

Cela faisait plus d'un mois que nous avions commencé nos pratiques. Les élèves arrivèrent un à un dans la classe que je préparais différemment selon que nous répétions le texte, que nous faisions des exercices vocaux, que nous créions des idées de costumes et de décors.

La cloche a sonné et les élèves sont entrés rapidement. Ils ont vu que la classe était installée pour la lecture de la pièce. Marc est venu vers moi et m'a interrogée :

On va recommencer à pratiquer sans Myriam ?

C'est justement de ça que je veux qu'on parle aujourd'hui.

De quoi ?

De son rôle. Écoute, je vais prendre les présences et on va en discuter en groupe.

J'ai repris mon souffle. Comment faisaient-ils les élèves pour deviner mes interventions ? Peut-être partageaient-ils mes angoisses ? Mais comment faire autrement que de remplacer Myriam ? Je ne croyais pas qu'elle aurait l'énergie de continuer à s'investir aussi intensément. Les élèves ont cessé de parler dès que je me suis assise avec eux dans le cercle de chaises.

Bon, j'ai bien réfléchi et je crois que nous devrions choisir ensemble qui va remplacer Myriam.

On aurait pu entendre une mouche voler. Je voulais connaître leur avis. Cette décision leur appartenait autant qu'à moi. Ils s'investissaient dans la pièce durant et après les cours. Je le savais. Lors des répétitions, ils connaissaient certains extraits de textes que nous n'avions pas encore pratiqués. Et ils ne me posaient plus de questions sur les mots difficiles qu'ils ne comprenaient pas. Au contraire, ils se les expliquaient entre eux. Ça m'avait touchée de les entendre.

Je sais que c'est vraiment terrible ce qui arrive. Et croyez-moi, la dernière chose que je souhaite est de faire du tort à Myriam.

Ben pourquoi tu le fais d'abord ?, s'est indigné Patrick, mon co-metteur en scène.

C'est comme ça que tu le vois ?

Ouais.

Il m'a regardé d'un air mauvais. Lui qui avait pris tant de plaisir ces dernières semaines à imaginer les scènes de combat et le fameux « soufflet » m'a fait sentir toute petite.

Alors dites-moi, comment vous voyez les choses ?

Moi je crois qu'elle va revenir bientôt, a dit tranquillement Mikuan.

Moi aussi, a affirmé Marc.

Oui, a ajouté Caro, on attend qu'elle revienne et on continue de travailler les autres scènes qu'on avait commencées. Les décors pis les accessoires.

On peut faire comme ça, ai-je dit sans trop de conviction.

Ils ont hoché la tête pour approuver.

Mais je vais vous avouer, je suis quand même inquiète. Il est vraiment dur à apprendre le texte et j'ai peur qu'on manque de temps.

Pas grave, madame. On va y arriver.

Ouais. En attendant, on peut pratiquer les scènes où y a pas de Chimène, a décidé Patrick.

C'est une idée. On peut faire ça, ai-je consenti.

Avant de clore cette discussion, j'ai fait une dernière tentative.

Et si elle ne revient pas avant la fin de l'année?

Elle va revenir. Faut juste lui laisser du temps. Elle manquera pas toute l'année, voyons.

Je me suis raclé la gorge.

C'est bon. On va l'attendre.

◆

Ce jour-là, j'ai moins admiré leur capacité à rester solidaires envers Myriam que leur ténacité. L'une des leurs vivait un moment difficile, peut-être le moment le plus tragique qu'elle aurait à subir durant toute sa vie, et ils gardaient la foi. Ils savaient qu'elle surmonterait cette épreuve et reviendrait pour finir ce qu'elle avait commencé. Ce n'était pas de la candeur. Très loin d'être naïfs, ces jeunes avaient conscience de la vie et de la mort, de la souffrance et des moments heureux. Où prenaient-ils toute cette force? J'ai ressenti une émotion étrangement douloureuse dans mon ventre. Prise en défaut, je savais que viendrait le moment où je devrais me repentir et leur rendre cette admiration. Mais pas encore.

Stanley. Un soir il est arrivé avec un châteauneuf-du-pape. Il cherchait à m'impressionner. Nous avons bu cette bouteille et une autre qu'il a débouchée avec plaisir.

Je gardais cette relation secrète. Par orgueil. J'imaginais mal que l'on puisse se retrouver, lui et moi, assis dans le salon de ma mère à discuter de l'été un peu frisquet. Ou le présenter à mes amies de Québec. Parce qu'il avait une réputation de mauvais gars dans la réserve. Il n'avait ni diplôme, ni travail, ni même de permis de conduire. Il jouait de la guitare et était le père de trois enfants qu'il ne voyait pratiquement jamais. J'ajoutais à cela ses problèmes d'alcool, de drogues et autres dépendances connexes. Son attitude me séduisait sans que je puisse me prémunir. L'humour cinglant d'un gars qui n'en a rien à faire de ce que pensent les autres. L'arrogance d'un homme qui s'était rarement fait dire non. Sa manière de m'embrasser en prenant mon visage dans ses deux mains.

J'ai un show dans deux semaines. Ça te tenterait de venir avec moi.

C'est où ?

À Natashquan.

Ah…

Il fumait près de la fenêtre en soufflant à l'extérieur. Ce qui n'empêchait pas la fumée d'entrer. Je lui ai fait signe de m'en donner une bouffée. J'en étais à mon cinquième verre. Le vin était bon.

Je sais pas. Je veux pas te déranger.

Tu me dérangeras pas. Je vais te traiter comme une reine, tu vas voir.

Je me suis mise à rire. Tu vas être avec qui ?

J'pars avec mon drummeur et mon bassiste.

Ah…

J'ai pris quelques secondes. Je me suis imaginée en backstage, dans un village où je ne connaissais personne. Une groupie seule au milieu de la foule échauffée et bruyante. La Rosie de Cabrel.

Je sais pas…

De quoi t'as peur ?

J'ai pas dit que j'avais peur. J'ai juste pas envie de me retrouver avec tous tes amis à Natashquan.

J'ai pincé les lèvres.

Ouin.

Il avait l'air franchement déçu.

Ce serait juste trop bizarre qu'on nous voie ensemble, comme si on était un couple ou quelque chose de même, lui ai-je dit en penchant ma tête vers lui.

Ouais, je sais.

J'ai fini mon verre en une gorgée. Une pointe de déception dans le geste. Après tout, peut-être que lui aussi ne souhaitait pas tant se retrouver dans le salon de ses parents avec moi. Les bouteilles vidées et la musique de générique à la télévision m'ennuyaient. J'ai mis mes pieds sur ses genoux.

On va se coucher ?

OK, j'te suis.

LES CHOSES QUE JE NE PEUX CHANGER

Convocation. À la veille de la semaine de relâche, je corrigeais et compilais les notes des élèves pour les bulletins de la deuxième étape. Certains m'ont étonnée en écriture tant ils avaient surpassé mes attentes. D'autres avaient des difficultés spécifiques, non sur le contenu et la cohérence textuelle, d'ailleurs la plupart se démarquaient par leur choix juste du vocabulaire, mais plutôt sur cette fichue grammaire aux mille exceptions. La syntaxe aussi ne donnait pas sa place. En somme, ils avaient cheminé, mais le dernier axe à parcourir était le plus exigeant.

Dans la salle des enseignants, tranquille en cette journée pédagogique, le directeur est entré et m'a dit qu'il voulait me parler dans son bureau. Pressé, il a tourné les talons dès que je me suis levée. Je me suis assise devant lui et il a marmonné un vague bonjour en fouillant dans ses horaires.

Yammie, verrais-tu une objection à ce que je t'envoie comme accompagnatrice dans le bois avec les élèves ?

Ça n'avait pas l'allure d'une question. Je n'ai pas vu comment je pouvais lui répondre que je n'avais pas seulement une, mais plusieurs objections. Que je devais continuer à répéter intensivement avec les élèves et que tous les moments étaient précieux, surtout qu'ils maîtrisaient mal la déclamation en alexandrins. Que les décors prenaient un temps fou et que par souci d'efficacité, j'avais partagé la classe en deux, les acteurs et les artistes manuels. Même cette façon de faire alourdissait la création, car il m'était impossible, à moi, de me départager et je devais trouver le moyen d'être présente aux deux endroits. Les élèves tout comme moi, nous manquions d'expérience et pour chaque décision scénique, je devais approuver afin qu'ils consentent à continuer leurs démarches. Puis que les évaluations de fin d'année approchaient à grands pas et que je n'avais pas encore la solution pour faire progresser les finissants assez rapidement pour qu'ils soient prêts à affronter le défi d'écrire un texte de cinq cents mots contenant moins de vingt erreurs de langue. Que, bien sûr j'aimais le bois, et que cette idée de prendre le train pour la première fois m'émerveillait, mais que partir une semaine entière n'était pas envisageable.

Devant mon silence et mon air perplexe, il a ajouté…

Je sais que je suis un peu dernière minute, en effet le voyage était prévu pour le retour de la semaine de relâche, mais l'enseignante qui devait les accompagner a eu des empêchements et je sais que tu as une belle relation avec les élèves.

Oui. J'aimerais beaucoup partir, mais…

Il m'a interrompue.

J'ai vraiment besoin d'une accompagnatrice, Yammie. Je sais que tu es très occupée avec la pièce, mais je ne peux pas me permettre d'envoyer n'importe qui, tu comprends.

Il me flattait. Et cette astuce fonctionnait admirablement avec moi. Je lui ai souri en levant les yeux au ciel.

D'accord, je vais y aller.

Parfait.

Il m'a remis une feuille sur laquelle étaient inscrits l'horaire du train et des informations importantes pour le départ. Je suis sortie de son bureau. Il me restait une journée pour préparer la suppléance d'une semaine entière, finir de tout corriger et imprimer les notes des bulletins. J'ai eu la nette impression de m'être fait avoir.

Train. À sept heures et quart, je suis arrivée à la gare. Certains élèves m'attendaient déjà devant la porte avec leurs bagages. Ils portaient de gros manteaux et des tuques colorées tricotées à la main. Des mocassins longs aux pieds et des pantalons de neige usés. J'ai compris, à leur accoutrement, qu'ils savaient exactement où nous allions. Un endroit froid, même en début mars, là où il vaut mieux être habillé chaudement.

Madame, ça fait une demi-heure qu'on t'attend. Faut arriver tôt pour avoir les meilleures places.

Oui, oui, on y va.

J'ai regretté d'avoir pris tant de temps à maquiller mes yeux et à agencer mon t-shirt sport avec un chandail de laine dans le but d'avoir l'air décontractée.

Avant l'embarquement final, derrière les grilles qui séparaient ceux qui partaient et ceux qui restaient, j'ai fumé une cigarette après l'autre. Depuis quelques années, la nouvelle réglementation interdisait de fumer à bord du train.

Allez, madame fume, fume, m'a dit Marc en se moquant…

J'ai ri malgré le jugement qu'il portait sur ma mauvaise habitude. Nous n'arriverions pas au chalet avant la fin de l'après-midi et je devais faire le plein de nicotine pour la route.

Nous partions dans le bois pour une durée de six jours. Ma seule crainte était que les élèves s'ennuient. Ces jeunes, continuellement branchés à leur cellulaire, leur ordinateur, leurs émissions de télé, devraient s'en passer puisqu'il n'y a ni électricité ni réseau au fond de la forêt. J'avais souvent entendu parler de Nutshimit, je me l'étais souvent imaginé. Ses paysages vierges à perte de vue. Aux quatre directions. Le vent, le froid, l'étendue et le silence. C'est la première fois que je poserais les pieds sur le territoire de mes ancêtres.

Nous avons parcouru un peu plus de cent cinquante milles vers le nord, en partant de Sept-Îles, sur un chemin de fer sinueux qui passait à travers les montagnes, au-dessus des rivières. La vitesse du train ne dépassait pas les trente milles à l'heure. Assise près de la fenêtre, j'ai admiré les morceaux de neige sur les épinettes hautes, l'étendue des lacs et la forme des montagnes. Il y a eu plusieurs arrêts entre le départ et l'arrivée. J'ai appris que chaque arrêt indiquait un territoire de chasse, un chalet, une famille qui descendait du train pour une semaine ou deux. C'étaient des lieux qui n'étaient inscrits sur aucune carte. Et pourtant, chacun d'eux possédait son nom, sa généalogie.

Nous sommes arrivés au mille 163 vers trois heures de l'après-midi. Le soleil éclatait sur la neige. Partout. Un vieil homme, maigre et édenté, nous attendait sur un ski-doo auquel était attaché un traîneau. On voyait une cabane au loin. Il nous a informés qu'il y en avait trois et qu'il ferait plusieurs allers-retours. Les plus pressés sont partis les premiers. Moi j'ai savouré ma cigarette. Et en les voyant charger joyeusement les petits et les gros bagages, s'activer dans le froid, les lunettes de soleil au visage et le rire malcommode, j'ai compris que nous étions entrés dans un autre espace.

Nutshimit. Nos hôtes s'appelaient Anne-Marie et Jean-Guy. Un couple doux aux manières simples et franches. Soudés. Tellement qu'ils se parlaient peu, l'un anticipant les agissements de l'autre sans qu'ils aient besoin de tout dire. Jean-Guy me fascinait. Du printemps jusqu'à la fin de l'automne, il travaillait comme concierge dans une mine de fer à Fermont, et l'hiver, il passait ses semaines de chômage dans son chalet, à Dolliver. C'était un Innu qui vivait la vie d'un Innu. Lorsqu'il enfilait son lourd manteau cousu en toile brodée et fait sur mesure pour ses épaules. Lorsqu'il conduisait fiévreusement son ski-doo, fusil en bandoulière sur le dos, suivant des pistes ensevelies par la neige et la glace. Lorsqu'il installait des collets à quelques milles de son chalet, confiant. J'ai eu du mal à saisir ce qui m'attendrissait chez cet homme. Était-ce sa force physique malgré son apparente fragilité ? Était-ce son calme, alors que nous passions sur des lacs gelés, les skis de la motoneige enfoncés dans une slush inquiétante ? Était-ce le ton de sa voix quand il demandait un thé à sa femme ? Et sa douceur à elle lorsqu'elle le lui servait avec du sucre. Ou bien la langue du bois, l'innu-aimun, celle qu'il utilisait pour nous raconter la vie d'autrefois. Une langue plus éloignée encore que cet endroit d'où nous l'écoutions attentivement nous enseigner le monde.

D'ailleurs, quelques-uns des élèves étaient eux aussi accoutumés à la vie en forêt. Ils avaient visité le territoire avec leur famille. Ils m'ont appris comment tenir une carabine et viser la tête de la perdrix, comment m'habiller pour ne pas me geler les pieds et le plaisir de se raconter nos vies, à la lueur des chandelles, entre voisines de lit, dans le chalet des filles.

Sans que je ne m'en rende compte, mes élèves ont cessé de m'appeler madame. Ils disaient *Yammie, tu sais pas ce qui nous est arrivé!* ou *Yammie, faut vraiment que tu viennes voir les gars dehors, c'est trop drôle* ou encore *Yammie, pourquoi t'as pas d'amoureux, toi?*

Nous étions ailleurs, très loin des livres et des bureaux. Très loin des réseaux sociaux et des commérages de la réserve. Très loin de la souffrance et des drames familiaux. Plus loin encore que tous les endroits où j'avais déjà posé les pieds. Et pourtant nous étions si près. Si près de soi.

Jean-Guy. Un soir à table, dans le chalet principal où nous nous réunissions pour les repas et les veillées, nous parlions de ce qui s'était passé le matin même. Du fait que nous étions restées prises, deux filles et moi, le ski-doo renversé sous la neige, après une longue excursion. Nous racontions la peur, le froid, la fatigue durant les quelques minutes qui nous avaient semblé une éternité. Puis, comment nous avions réussi à remettre la lourde machine sur ses skis et à retourner au chalet. Nous riions encore de cette mésaventure quand Jean-Guy a pris la parole en innu et a raconté cette histoire.

Il y a plusieurs années, quand j'étais encore un jeune homme, je travaillais comme guide pour les Blancs. Une fois, un Blanc m'avait engagé pour le guider à la chasse aux caribous. Nous avons pris l'avion très tôt, à Sept-Îles. Il pilotait lui-même son avion et nous n'étions que deux à bord. Nous voulions nous rendre au nord de Schefferville.

Nous étions encore à une bonne distance de notre destination. L'avion a eu, je n'ai pas compris comment ni pourquoi, malgré mon compagnon qui a tenté de me l'expliquer à plusieurs reprises par la suite, un problème mécanique et nous avons été obligés d'atterrir en pleine forêt. Rapidement, j'ai su que nous allions nous écraser et je me suis tenu fortement au banc devant moi et j'ai fermé les yeux en priant. J'ai cru que mon heure était arrivée.

Malgré l'atterrissage forcé, nous n'avons pas été blessés et on a réussi à s'extirper de l'avion. Mon instinct m'a dit que la première chose à faire, c'était du feu. Puis, je commencerais à bâtir un abri avant la nuit. Si le crash ne nous avait pas tués, le froid et le gel étaient maintenant nos pires ennemis. Le pilote, l'air désolé, est resté à l'intérieur de l'avion avec l'intention de réparer sa radio. J'ai bien vu qu'il n'y connaissait rien et je l'ai laissé faire sans rien dire. J'ai étendu un tapis de branches de sapin et d'épinette, assez épais pour allumer un feu. Et, j'ai fait bouillir de l'eau. Nous avions quand même quelques provisions qui nous permettraient de tenir quelques jours. Des biscuits, un peu d'eau, des cannes de beans et de soupe aux pois. Il y avait également des couvertures chaudes et des fusils.

La nuit est tombée rapidement, nous étions en février et l'endroit où nous nous étions écrasés se trouvait sur le bord d'un lac. J'avais construit notre abri au milieu des arbres qui nous isolaient du vent du nord, Tshiuetin. De là où nous étions, nous voyions bien le lac. Et j'ai entendu mon partenaire de chasse me répéter une fois de plus des excuses sincères avant de s'endormir profondément.

Le lendemain, je me suis levé très tôt, je m'étais réveillé plusieurs fois durant la nuit, j'avais peur que le feu meure et que le froid nous emporte. Aux premières lueurs du soleil, alors que le ciel était encore bleuté, j'ai vu une mère caribou et son petit sur le lac à quelques dizaines de mètres de notre abri. J'ai pris le fusil et j'ai tiré sur le petit. La mère s'est enfuie et le pilote s'est réveillé en sursaut. Nous sommes allés chercher le caribou et j'ai commencé à le dépecer en remerciant Tshishe-Manitu de nous assurer la survie pour deux autres semaines.

Six jours ont passé sans aucun signe de vie des secours. Chaque jour, j'isolais davantage notre abri, bûchais du bois, allais à la chasse au petit gibier. Chaque jour, je prenais un chemin différent. J'espérais rencontrer une cabane de chasseur ou le chemin de fer. Chaque jour, l'attente était plus lourde et nos espérances de survie de plus en plus faibles.

Puis un matin, nous avons entendu un hélicoptère qui survolait nos têtes. Le pilote est immédiatement allé à sa radio, il m'avait prévenu qu'il serait capable de capter les courtes fréquences et nous avons reçu les messages des secouristes. Ils nous ont demandé si nous étions blessés. Le Blanc a répondu que non. Ils nous ont demandé si nous avions faim ou soif, le Blanc a répondu que non. Alors, ils nous ont demandé combien de temps pouvions-nous tenir dans la forêt. Et le Blanc a répondu que nous pouvions attendre un jour de plus. À ce moment, je me suis rué vers lui dans une rage noire en lui disant qu'ils devaient nous secourir immédiatement ! Si je ne m'étais pas retenu, je l'aurais étranglé de mes deux mains !

Jean-Guy a éclaté de rire en se tapant les cuisses.

Attendre jusqu'à demain ! Tu parles d'une idée de fou.

Et tous, autour de la table, on s'est mis à rire avec lui.

Jean-Guy ?

Oui ?, m'a-t-il dit en s'essuyant les yeux.

Si tu me le permets, j'aimerais écrire ton histoire. Un livre, peut-être.

Oui, oui, fais comme tu penses.

Shaputuan. La veille de notre départ, nous nous sommes rassemblés dans la grande tente près du chalet des filles. Durant l'après-midi, certains élèves sont allés ramasser des branches de sapin. Jean-Guy a entretenu le feu dans le poêle en fer au milieu de la tente. Deux élèves ont installé leur matelas aux extrémités dans le but d'y dormir le soir même. La chaleur du shaputuan nous réchauffait après une journée avoisinant les moins trente. Nous étions quinze, entassés, mangeant des chips et du chocolat, petites gâteries que j'avais réservées pour la dernière soirée. Je pensais à Nicolas. Je savais que c'était exactement le genre de voyage qu'il aurait adoré. Entre autres, pour la simplicité, la grandeur, la paix. Mes élèves respiraient le calme.

Vous savez à quoi je pense ? C'est notre dernière nuit ici. Et je me demande ce que vous avez le plus hâte de retrouver en ville ? De quoi vous vous ennuyez le plus en ce moment ?

De mes enfants !, a répondu Maya, vive et enjouée.

De mon lit, a affirmé Patrick.

De mon fils, a ajouté Mikuan, en soupirant.

De la poutine !

Nous sommes tous partis à rire.

Et toi Yammie ?

Si je vous le dis, vous me promettez de ne pas le répéter.

Ben oui…

De mon ancien amoureux. Il s'appelle Nicolas. J'aurais aimé qu'il voit comme c'est beau ici.

Onhh, pauvre toi, m'ont plainte les élèves. Je souriais pour masquer ma peine.

Et toi Marc ? Il n'avait toujours rien dit.

Je sais pas. Ça dépend. Voulez-vous entendre quelque chose de drôle ou quelque chose de triste ?

On veut quelque chose de vrai, lui ai-je dit.

Il a laissé passer quelques secondes.

Je m'ennuie de ma mère, a-t-il dit, puis il a baissé la tête.

Le silence s'est installé. C'était en effet la triste réalité qui nous ramènerait à la maison. Avec laquelle il faudrait continuer à avancer. La solitude, la survie, le stress et la sérénité. La sérénité d'accepter les choses que nous ne pouvions changer. Toute une semaine passée dans l'isolement nous avait fait croire que nous étions des êtres invincibles. Enveloppés par la légèreté, nous ne voulions plus la quitter. Une élève avait dit en rigolant qu'elle ne retournerait pas à Uashat, qu'elle ferait venir ses enfants par le train. Que son ex-copain les rejoindrait. Qu'ils deviendraient la famille du bois. Et nous avons encouragé son délire, décrivant leurs journées de marche et la nourriture qu'on leur enverrait par le train. Nous avions tout partagé ces derniers jours. Nos idées folles et les réveils à l'aurore. Et maintenant, il y avait le regret de partir.

Lorsque nous sommes sortis de la tente pour aller dormir dans nos chalets, un ciel illuminé a éclairé nos pas. Une lune complètement ronde et des milliards d'étoiles pour veilleuses.

Théâtre. Myriam est revenue le lundi qui a suivi notre voyage. Les élèves l'avaient prédit. Moins rieuse, certes, les épaules plus voûtées, le regard pensif et absent par moment. Elle n'a pas beaucoup parlé. Et nous ne lui avons pas posé de questions. Elle a simplement raconté, comme pour justifier son retour dans les pratiques, que dès que son fils s'endormait le soir, elle avait continué à apprendre son texte avec l'aide de son amoureux qui lui donnait la réplique. Elle a dit sans se morfondre que c'était une des seules choses, durant les dernières semaines, qui l'avaient aidée à se sentir mieux. Grâce à sa présence, la troupe a manifesté un enthousiasme neuf pour les répétitions et j'ai pu souffler un peu.

Rodrigue n'avait toujours pas de rôle fixe. Il s'impliquait un peu partout sans avoir de tâche exacte. Voyant la date de la représentation approcher rapidement, je l'ai pris à part.

J'ai pensé à quelque chose pour toi.

C'est quoi ?

Puisque tous les rôles sont pris, tu pourrais être note souffleur.

C'est quoi ça ?

C'est celui qui aide les comédiens à se rappeler leur texte. Il est caché près de la scène et il souffle les mots quand il voit qu'un des comédiens a un trou de mémoire.

OK...

On a vraiment besoin d'un souffleur. Le texte est difficile et si on n'a pas de souffleur, ils n'arriveront jamais à se souvenir de tout.

OK…

T'aurais préféré avoir un rôle ?

Je sais pas.

J'entendais bien sa déception.

Ben dis-toi que si on réussit à présenter cette pièce, l'année prochaine il y a des grandes chances qu'on continue à faire du théâtre.

Ouais.

Pour l'instant c'est ça que j'ai à te proposer.

OK. Je vais être souffleur.

Théâtre. L'essayage des costumes était très attendu. La mère de Caro avait confectionné la majorité des robes. Elles étaient simples, de bon goût. De la dentelle aux encolures et sur le bout des manches. De la crinoline bouffant les jupes. Des couleurs royales, rouge vin, or, blanc. Avec de longs colliers de perles, des gants blancs et un maquillage un tantinet exagéré, les filles auraient l'allure de parfaites bourgeoises. Nous sommes allés chez un costumier pour les habits des garçons. En réalité, nous ignorions comment devaient être vêtus de jeunes Espagnols du dix-septième siècle et comme nous en avions maintes fois discuté, nous voulions rendre la pièce la plus authentique possible. Dans l'étroite boutique, les garçons ont choisi des vêtements médiévaux de style chevaleresque. J'ai insisté pour qu'ils portent de longues perruques frisées. À défaut de les convaincre, ils m'ont promis de lisser leurs cheveux raides sur leur tête avec du gel et de se dessiner une moustache.

Au final, les déguisements ont contribué à leur jeu. Ils possédaient maintenant presque tous un accent aristocratique venu de je ne sais quelle partie de l'histoire européenne. Ça fonctionnait à merveille. Encore fallait-il insister sur le côté comique de la tragédie.

Corps. J'ai constaté avec déception que j'avais pris du poids. Je n'avais jamais été ni svelte ni athlétique, mais je maintenais une silhouette acceptable. Tous les repas très riches d'Anne-Marie m'étaient tombés dans le ventre et sur les hanches. J'avais accusé le grand air et les promenades en forêt pour l'appétit démesuré avec lequel j'avais engouffré les délicieux repas de notre hôtesse. J'ai réfléchi aux différents moyens de perdre ces livres en trop. Faire de l'exercice. Ou cesser de grignoter le soir. Ou peut-être les deux, modérément.

Brusquement, je me suis mise à compter. Mon cœur s'est accéléré. Nous étions partis durant une semaine, puis la semaine de relâche, les dix jours d'évaluation de fin d'étape, la réintégration de Rodrigue, le retour de Myriam, puis Stanley. J'ai eu un haut-le-cœur. Sur-le-champ, j'ai mis mon manteau et je suis allée à la pharmacie. Pas celle de la réserve, plutôt celle la plus éloignée, là où je risquais de ne rencontrer personne.

Claque. Il était midi moins quart. C'était un samedi. Pour la première fois depuis des mois, le vent était léger, la température clémente. Le soleil brillait dans un ciel entièrement bleu. C'était un bleu que j'avais rarement vu à Québec. Un bleu sans nuages, sans fumée. Et complètement nue dans ma baignoire, enfermée entre quatre murs, je pleurais toutes les larmes de mon corps. Comment ai-je pu être aussi stupide ? Aussi irresponsable ? Manquer autant de jugement ? Qu'avais-je donc fait à Dieu pour mériter ça ? Et pourquoi Stanley ? Pourquoi pas Nicolas ? Pourquoi pas avant que je me retrouve complètement seule ici ? Pourquoi pas lorsque Nicolas me promettait d'acheter une maison en banlieue, près du fleuve ? Pourquoi lorsque je commence une carrière ? Pourquoi cette chose est-elle venue se loger dans mon ventre ? Pourquoi ne pouvait-elle pas repartir ? Et personne à qui parler. J'ai plongé ma tête dans l'eau en fermant les yeux. J'ai retenu ma respiration.

À l'intérieur de moi, un truc lourd, encombrant, qui me fait mal. Et mon cœur qui ne cesse de battre à un rythme fou, le goût des larmes dans ma bouche et encore cette douleur. Pénétrante.

Ce moment où la pensée se disloque. Claque. Sur la figure. En plein midi. Je m'effondre.

Cours. La semaine qui a suivi, je l'ai vécue de peine et de misère. Perdue entre mes responsabilités et mon envie de tout abandonner. J'avais souvent des nausées qui me rappelaient ma grossesse et ma peur de la grossesse. Décidée à ne rien dire à personne, une immense boule dans la gorge. Pire, aucune possibilité de me dissocier de ma réalité à l'aide de quelques verres de vin. Je n'ai pas répondu aux textos de Stanley. Ma colère s'est retournée contre lui. C'était de sa faute. Je portais le fruit de notre relation insouciante et sans avenir. Je lui en voulais d'être lui. Plus irresponsable que moi. Médiocre. Sans attache.

Les heures s'allongeaient en classe. Les élèves ne comprenaient pas mon manque d'entrain, mes remarques sans insistance, mes silences. Ils ont fait semblant eux aussi. Ils n'ont posé aucune question. J'ai constaté leur calme. Savaient-ils qu'une tempête envahissait mon être? Savaient-ils qu'à la moindre bévue, elle éclaterait? J'avais les yeux pleins d'eau chaque fois que je les regardais chuchoter entre eux, s'excuser pour des riens, refusant de se moquer de mes distractions.

J'ai décidé de n'en parler à personne jusqu'à ce que ce soit clair dans mon esprit. Et Dieu seul savait à quel moment ça le deviendrait. J'avais d'abord pensé appeler Nicolas. Peut-être que de nos trois années d'amour, il restait de la compassion. Le goût cruel d'être consolée. Et n'avoir aucune épaule assez solide et sûre pour se répandre. Le soir, je m'allongeais dans mon bain durant des heures. Maudissant ma vie. Puis, je m'endormais dans mes draps secs et froids. La tête fatiguée, je ne rêvais pas.

Mélina. Entre deux cours, je l'ai croisée dans le corridor. Elle portait un sac d'école avec tous ses cartables sur une épaule. À cause de sa petite taille, on aurait presque dit qu'elle allait basculer. Elle avait cet air abattu que j'avais appris à repérer chez mes élèves. Entre le sentiment fautif et la déception.

Mélina ?

Salut madame.

Ça va ?

Ben pas vraiment. Je retourne chez moi.

Comment ça ?

Je viens de rencontrer monsieur Boulanger. Il m'a dit que j'avais manqué trop de cours. Il me renvoie.

Ah non…

Ouais.

Combien de temps ?

Jusqu'à la fin de l'année, je crois…

Ben voyons donc !

Ouais.

Tu veux que je lui parle ?

Je sais pas.

Je peux lui parler. Ça n'a pas de sens de pas te laisser terminer l'année.

Tu crois ?

Je vais aller le voir. Je crois que je peux peut-être arriver à le convaincre. J'ai besoin d'être sûre que c'est ce que tu veux.

Ben oui madame. C'est juste que je suis dans une mauvaise passe, là… Je veux finir mon année pareille.

D'accord. Accroche-toi ma belle. Si t'as envie de parler je suis là.

J'ai obtenu du directeur qu'elle réintègre sa classe le lendemain. Lui expliquant qu'elle était l'une des seules qui obtiendrait son diplôme assurément. Elle a dû promettre tout de même de ne plus manquer un seul cours jusqu'à la fin de l'année. Ce qu'elle a fait, l'espace de quelques jours. Puis, je n'ai jamais su réellement pourquoi, elle a décidé d'abandonner une fois pour toutes le secondaire. Mélina, ma précieuse rédactrice.

Je lui ai écrit quelques jours après son départ pour lui dire qu'il existait très peu de gens capables d'écrire comme elle. Si naturellement. Que je savais de quoi je parlais. Je me suis vanté d'avoir du goût en matière de littérature. Que peu importe le métier qu'elle choisirait de pratiquer, elle devait absolument écrire. Elle m'a répondu un très court *Merci madame.* Et je l'ai accueilli, égoïstement, comme un échec personnel.

Stanley.

Allez, dis-moi ce que t'as ? Tu veux plus me voir ?

J'ai finalement décroché à un de ses appels nocturnes. Après toutes ces nuits d'insomnie était née l'illusion qu'il existait ce nous. Lui et moi. Je ressentais le besoin criant de me blottir contre lui. De l'entendre me dire que ça ira. Peut-être n'était-il pas si mauvais. Peut-être qu'il m'aimait et que moi aussi, je l'aimerais. Peut-être, comment savoir, qu'il me tiendrait la main.

Je suis tellement triste.

Comment ça ?

J'ai pas envie de te le dire.

J'ai fait quelque chose ?

Oui, justement.

C'est quoi ?

Long, très long soupir.

Si tu veux que je vienne t'as juste à le dire, je vais me trouver un lift et j'arrive.

Non, je veux pas que tu viennes.

OK.

…

Je comprends pas.

Je suis enceinte.

Silence.

Et c'est moi… ?

Oui…

OK…

Très long silence.

Et qu'est-ce que tu vas faire ?

Mais qu'est-ce que tu veux que je fasse ? Ma voix implorait.

Je sais pas moi, m'a-t-il dit doucement.

Moi non plus.

Je me suis mise à pleurer.

Je vais venir te voir, il faut juste que tu me laisses du temps. Je vais… je vais faire ce que je peux pour venir.

Je l'ai attendu. Une heure, deux heures. Jusqu'au petit matin. Il n'est pas venu. Je n'ai pas pu m'empêcher de hurler toute ma douleur au fond de mon lit, mon oreiller dissimulant à peine mon cri. Plusieurs fois. Jusqu'à ce que ma voix se casse. Il y avait quelque chose d'irréparable à l'intérieur de moi.

Cours. À la fin de la période, Julie a pris son temps pour mettre en ordre ses papiers, placer son cartable dans la bibliothèque, et nous étions maintenant seules dans la classe.

Yammie, je voulais te parler.

Oui. Est-ce qu'il se passe quelque chose ?

Par souci de discrétion, je me suis levée pour aller fermer la porte et me suis rassise à mon bureau. Elle était plus nerveuse que d'habitude.

Dans le fond, tout le monde va le savoir bientôt, et tu vas sûrement en entendre parler. Fait que j'aime mieux te le dire moi-même.

Elle a souri.

J'suis enceinte.

J'ai senti un énorme coup de poing dans mon ventre. Malgré moi, mes yeux se sont couverts de larmes.

Oh madame… C'est pas si triste.

Elle paraissait elle-même ébranlée. Elle a essuyé du revers de sa main la larme sur sa joue. Elle souriait toujours.

Oui, t'as raison. Je suis pas triste. Ça me touche.

Je me suis ressaisie. Me suis raclé la gorge et lui ai demandé.

Tu l'as su quand ?

En revenant du bois. Tu te rappelles à Doliver, j'attendais d'avoir mes règles, pis elles venaient pas. Je mettais même des Kotex au cas où…

Elle s'est mise à rire.

J'me trouve tellement niaiseuse maintenant!

Je me suis souvenue vaguement qu'elle en avait glissé un mot dans le chalet des filles durant notre voyage, mais aucune d'entre nous n'avait réagi puisque des retards dans les règles étaient curieux, sans plus. J'ai ri avec elle.

Alors c'est une bonne nouvelle?

Oui. Je crois que oui. Mon chum est content. Il va finir son cours en charpenterie l'an prochain. Pis moi ben, j'peux commencer le cégep pareil, genre plus tranquillement. Il y a juste mon père qui était pas content. Il est tellement protecteur. Mais ça va être correct.

C'est bien ça. Je suis heureuse pour vos deux. Excuse-moi si je pleure. C'est parce que je ne m'attendais pas à ça. Mais je te trouve bonne et je suis fière de toi. En plus, tu vas avoir ton diplôme cette année.

Tout ce temps, je n'ai pas cessé de la regarder dans les yeux. Elle avait six ans de moins que moi, plusieurs années d'études devant elle si elle voulait devenir infirmière bachelière comme elle me l'avait déjà confié. Elle venait à peine d'avoir le droit de voter que déjà elle devait se questionner sur la manière d'élever un enfant. Mais la fille à qui je parlais n'était plus une adolescente. Et dans cette vie qu'elle planifiait, elle deviendrait une femme. Elle n'était pas la première à qui ça arrivait. Et comme toutes les autres avant elle, elle concilierait les rendez-vous chez le médecin et les examens de juin. Je savais qu'elle possédait ce genre de courage. Et sans qu'elle ne le sache, j'ai senti qu'elle m'en transmettait quelques parcelles.

Ce soir-là, j'ai appelé Emma, une amie d'enfance. Je lui ai tout raconté. Jusqu'à la peur, les doutes, la honte, l'impuissance, les envies de fuir, les crises dans la nuit. Tout. Le mutisme, l'isolement, Stanley, sa guitare, ses baisers, son rejet. Jusqu'à la dernière larme.

Choix. Plus je me concentrais sur mon état, plus mes réflexions s'étiraient en déraisonnements. J'ai fini par admettre la réalité. Un être pas plus gros qu'un pépin de pomme grandissait dans mon ventre.

J'aurais bien voulu avoir le choix. Comme la plupart des femmes de ma génération. J'aurais voulu pouvoir peser le pour et le contre. Faire des listes. Analyser les listes. Et faire un choix. Mais il y avait cette promesse. Naïve. Intime. Que j'avais faite au Créateur. À l'âge de quinze ans. Une promesse formulée, dite tout haut. Un enseignant de morale nous avait incités à prendre tout de suite des décisions pour l'avenir. Parce que, il disait, lorsque le moment crucial arriverait, nous serions en pleine crise, et serions incapables de voir clairement la situation. Peu après, j'avais promis de ne jamais me faire avorter. C'était une promesse lointaine, qui ne prenait pas en compte ma vie d'aujourd'hui, ma carrière, ma solitude, ma peur. C'était une promesse chuchotée dans mes prières. Cette promesse était douloureuse. Elle m'enfermait. Je n'entrevoyais plus l'avenir, pas même une fenêtre d'où pourrait jaillir la lumière du jour. Mon corps était témoin. Et mes larmes le confirmaient. Je savais que cette promesse, j'allais la tenir.

Théâtre. Un mois avant la représentation, Olivier m'a annoncé qu'il déménageait à Schefferville. Il interprétait Don Sanche, l'amoureux transi de Chimène. Et il le faisait bien. Je lui ai posé un millier de questions jusqu'à découvrir que ça n'allait plus avec sa mère, qu'elle l'avait en quelque sorte mis à la porte, et qu'il n'avait pas le choix d'aller vivre avec son père. Il était désolé de laisser tomber la troupe, il l'a répété à quelques reprises. J'ai été d'abord déçue de perdre un excellent comédien pour le rôle. Puis triste de réaliser son déchirement. J'avais fait le même choix il n'y avait pas si longtemps. De tout quitter. Et je comprenais son regard d'une émotivité saisissante. Celui d'un enfant. Je lui ai dit *Bonne chance* en le serrant dans mes bras.

◆

À quelques semaines de la représentation, j'étais tout de même désappointée. Quelques instants. Jusqu'à ce que je vois ma planche de salut au bout du corridor en fin d'après-midi.

Rodrigue !

Oui ?

Rodrigue, mon beau Rodrigue. J'ai besoin de toi. Non la troupe a besoin de toi.

Comment ça ?

Intrigué, il s'est avancé vers moi.

Est-ce que tu savais qu'Olivier déménageait à Schefferville ?

Non. Il part quand ?

Bientôt je crois... On a besoin de toi pour jouer Sanche.

Quoi ?, a-t-il dit en reculant. Je peux pas. Je connais pas le texte.

Oui tu le connais. Je suis certaine que tu peux l'apprendre.

Mais madame, qui va être souffleur ?

Je sais pas encore, mais je vais trouver. S'il te plaît, dis-moi que tu veux.

Ben oui madame.

Il m'a fait un énorme sourire.

Oui je vais le faire.

◆

Le départ d'Olivier a ouvert des portes inattendues. Très rapidement, le talent inné de Rodrigue s'est manifesté. Il jouait si bien, si juste, si naturellement que sa seule présence scénique mettait les autres comédiens dans une plus grande confiance.

Évaluation. L'évaluation en écriture de juin se faisait à la mi-mai pour les élèves du secondaire cinq. Le sujet portait sur la liberté d'expression. Dans le cahier préparatoire s'intercalaient des textes sur les droits de la personne, sur la dictature dans certains pays, sur la propagande haineuse et sur les définitions de la liberté dans sa conception la plus primaire. Des adolescents en pleine expansion individuelle pouvaient-ils vraiment être contre la liberté d'expression ? Je ne le croyais pas. Toutefois, j'ai attiré leur attention sur les limites de celle-ci et sur les avenues possibles de la démocratie. Nous réfléchissions au schéma de notre société.

Il faut voir la démocratie comme un cercle. Cela dit, la démocratie n'est pas le signe de l'égalité. En réalité, cela dépend des gens qu'on introduit dans le cercle. Si tous, femmes, hommes, pauvres, riches, de droite ou de gauche, Innus et Québécois ont une place égale dans ce cercle, alors on peut parler d'une démocratie réussie. Selon vous, est-ce le cas au Canada ? Au Québec ? À Uashat, à Maliotenam ?

Des yeux se sont tournés vers le plafond, d'autres ont scruté les fenêtres ou mon visage. C'était le signe qu'ils réfléchissaient. Une main s'est levée.

Oui Patrick ?

Je crois que la démocratie c'est pas possible.

Pourquoi ?

Ben, juste les Innus et les Blancs. On sait qu'ils seront jamais égaux.

Je comprends ce que tu veux dire, mais tu peux donner des exemples précis ?

Ben tu vois, mon père quand il dit qu'il faut protéger le territoire, pis après Hydro-Québec construit un barrage pis coupe des forêts pour faire passer ses poteaux. On voit bien que mon père n'a pas ce qu'il faut pour se battre contre eux. T'sais, leurs paroles sont pas égales.

On bifurquait tranquillement de notre sujet. Je piétinais pour le ramener sans faire perdre le fil de sa pensée à mon élève qui révélait ses vérités.

Alors pour toi la liberté d'expression devrait également prendre en compte l'égalité des voix.

Ben si on est dans un pays libre et égal, mon père devrait être écouté quand il parle de son territoire de chasse. Pis ça, même si ça ferait perdre de l'argent au gouvernement ou à je sais pas qui.

Évidemment. C'est très intéressant. Merci Patrick.

J'ai fait le tour de la classe avec mes yeux.

D'autres personnes ?

Moi j'pense que même à Uashat il y a des injustices, a déclaré Maya.

Qu'est-ce que tu veux dire ?

Ben quand je regarde à qui le Conseil donne des maisons, on voit tout de suite qu'ils choisissent juste le monde qui vote pour eux.

C'est une opinion. Explique-nous.

Par exemple, ma cousine, ça fait des années qu'elle attend pour avoir une maison. Elle est obligée de louer un appartement super cher en ville. En plus, elle a quatre enfants.

Oui je vois.

En plus, il y en a d'autres qui font juste une demande pis direct y ont une maison. Il y a rien à comprendre là-dedans.

Il y a eu des murmures dans la classe. D'insatisfaction et d'approbation. J'ai senti que nous nous enfoncions dans un terrain glissant. La politique était intimement liée à toutes les sphères sociales de la communauté. Il valait mieux en rester là.

Donc, si je vous comprends bien, dans toutes les sociétés, que ce soit la nôtre à Uashat, ou au Québec avec le gouvernement, il existe encore des inégalités. Je trouve vos réflexions très pertinentes. Maintenant, le plus important est d'amener des arguments pour convaincre vos destinataires. Des arguments et des exemples.

Les élèves ont passé le reste de la période à lire les textes proposés. Avec minutie, ils ont surligné, noté, encadré les éléments qui leur semblaient les plus éloquents. Ils étaient dix-neuf finissants. Et chacun allait donner tout ce qu'il pouvait pour réussir cette épreuve. J'en étais convaincue.

Soir de représentation. Derrière le rideau, j'entendais les chuchotements du public et les cris des enfants. Nous avions convenu du vendredi entre le bal et les évaluations de fin d'année. La troupe avait vendu des billets au coût de dix dollars à leur famille et amis. Deux cent cinquante en tout. Ça m'avait surprise. Une salle comble pour la première représentation théâtrale de notre école. Elle avait lieu dans le gymnase aménagé en salle de spectacle. Les lumières tamisées. Une scène surélevée encerclée de rideaux noirs. Les comédiens étaient déjà tous costumés, maquillés, sérieux, script à la main.

Yammie, m'a interpellée Patrick habillé tout en noir avec sa casquette de travers, faut que tu viennes voir les décors, y en un qui est tombé!

Ah non!

Je l'ai suivi jusque sur la scène. Il y avait un des panneaux peinturés en briques grises représentant le palais royal qui n'arrivait pas à tenir en place.

Qu'est-ce qu'on fait maman, ah scuse, madame.

Merde... On va devoir l'enlever... Mais ça n'aura plus l'air de la cour.

Moi, m'a dit Marcel, le concepteur de la majorité des décors, moi je vais le tenir.

Toute la pièce?

Oui, pas le choix.

D'accord. On fait ça.

Marcel tenait à ce que tout soit parfait. J'ai rejoint les élèves dans la salle de gym qui nous servait de loge. Partout, des vêtements entassés, des miroirs en long, des chaussures, un bordel stimulant.

Bon. C'est le moment. Je veux vous dire une chose. La salle est pleine. Tous ces gens-là sont venus pour vous voir jouer. Alors allez-y. Donnez le maximum. Sans avoir peur de vous tromper ou de faire rire de vous.

Voyons madame, m'a interrompu Mikuan, tu nous fais peur, comme si on allait être super poches.

Pas du tout, Mikuan. Pas du tout. Je suis tellement fière de vous, si tu savais. Je les ai fixés l'un après l'autre. Cherchant à me faire rassurante. J'ai vu qu'ils cherchaient dans mon regard la force de se jeter sur scène. Et malgré les trémolos dans ma voix, j'ai conclu d'une voix forte: Bon on y va!, en les poussant les bras ouverts vers le gymnase.

◆

Debout, entre le rideau de gauche et la scène, j'ai observé la pièce. Mi-émue, mi-craintive. Le public s'est mis à rire lorsque Caro, qui avait accepté de remplacer Rodrigue, a soufflé une réplique bien perceptible dans toute la salle. Ensuite, elle s'est ajustée. Je les regardais, stupéfaite, réciter confiants les répliques apprises par cœur. Les gestes et les déplacements, imaginés des centaines d'années après l'écriture de cette pièce, des milliers de kilomètres loin de sa première représentation. Quel sens devait-on trouver à ses alexandrins dits tout haut par de jeunes Innus déguisés en Espagnols? L'ancienne tragédie venue rejoindre les nôtres. L'amour bafoué d'une femme. Je réalisais enfin ce que je leur avais demandé, il y a quelques mois.

Mikuan, dans sa robe de gouvernante, s'est avancée devant la scène pour réconforter Chimène. Il s'agissait d'un court dialogue qui évoquait l'attachement maternel. Elle était parfaite.

Mikuan, ma belle amie. Merci d'avoir été là au tout début, lorsque je doutais. Tu as été ma première confidente. Dans cet endroit que je croyais hostile, tu m'as montré la douceur. On le sait toutes les deux, tu n'auras pas ton diplôme cette année, malgré tes efforts, malgré ton courage de maman. Et je voudrais te dire que parfois la vie c'est comme ça. Il faut se battre et si on échoue, il faut se battre encore plus fort. Tu veux être médecin. C'est presque inimaginable en ce moment. Mais les murs sont faits pour être abattus. Et je sais que tu le sais.

Le silence a été percutant devant la tirade de Marc. Les souffles retenus. L'instant magique. Une bouffée d'amour m'a submergée.

Cher Marc, tu as perdu ta maman, et sans que je comprenne tout, je sais que tu en souffres énormément. Et pourtant, cette souffrance, je sais que tu la dépasseras, que tu deviendras grand. Pardonne-moi de ne pas t'avoir pris dans mes bras lorsque tu en as eu besoin. Crois-moi, ce n'est pas parce que je n'en avais pas envie, c'est parce que j'avais peur, tu vois, de toutes ces choses qui rendent malheureux. Je croyais que j'étais forte. J'étais fragile. Et c'est vous qui m'avez appris à ne pas fléchir. Toi et ton courage. Et les autres. Pars Marc, pars aussi loin, aussi longtemps que tu le voudras. Et reviens nous voir quelques fois.

Myriam a oublié quelques répliques, malgré les efforts de Caro pour les lui communiquer. Don Diègue était déjà entré en scène et avait commencé sa déclamation.

Myriam, t'ai-je dit que tu étais magnifique aujourd'hui. Tous les jours. Je ne réalise qu'à moitié ce que tu as dû vivre depuis ta sœur. Mais sache que je l'ai vu. Ta tête se relever, ta fougue, ta force. Je crois qu'une personne qui affronte vigoureusement une épreuve comme celle-là n'a plus aucune limite devant elle. Ce soir, j'aime te voir jouer Chimène. Tes joues rouges de bonheur. Tu pourrais être actrice à la télévision. Et le monde entier se lèverait pour t'applaudir. Je ne sais pas ce que tu veux faire. Mais j'espère si fort que tu le fasses. Pour toi, pour ton fils. Pour ta sœur. Parce que l'humain est beau lorsqu'il choisit la vie.

À la deuxième rangée, j'ai vu Mélina, qui se tenait sur le bout de sa chaise. En contemplation.

Comme ça me fait plaisir de te voir Mélina. Si chétive. Si belle. Et tu ne t'en doutes même pas. Tu ignores tout le talent qui se cache dans ta main. Tu repousses ceux qui croient en toi. Un oiseau blessé. Tu es née pour écrire. Je te l'ai dit déjà. Je te le redirai encore la prochaine fois qu'on se croisera. Et peut-être qu'un jour tu y croiras. Et ce jour-là, je lirai, comme j'ai lu la première fois, passionnément, tous tes mots. Et je serai fière, tu vois, d'avoir été ton enseignante. Le monde t'attend. Ne le laisse pas patienter trop longtemps, tu veux.

Rodrigue était plus fougueux qu'il ne l'avait jamais été durant toutes les répétitions. C'est lui qui a littéralement transcendé le public. C'est lui qui a apaisé mes craintes. C'est lui qui m'a certifié que tout ceci était important.

Cher Rodrigue. Mon rebelle. Qui aurait cru que ça finirait ainsi. Tu n'en as pas l'air aujourd'hui lorsqu'on te voit. Pas l'air d'un gars qui crierait après moi. Et je ne peux pas m'empêcher de croire que j'ai contribué, à ma mesure, à cette nouvelle personne que tu es en train de devenir. Assidu, sérieux, travaillant. Comme je suis fière de toi. C'était peut-être ça, Manikanetish, après tout. Ce que voulait nous léguer la Petite Marguerite. Elle voulait nous apprendre ce que devait être réellement l'enseignement. Élever les enfants des autres. Leur tendre les bras, les aimer. Devant toutes choses, désirer les voir devenir grands. Ça m'a pris du temps à comprendre, Rodrigue, mais maintenant je sais. Moi aussi, j'avais des barrières à abattre.

◆

La finale a gagné le cœur de tous les spectateurs. Ils se sont levés à peine le rideau tombé. Ont applaudi et ont poussé des cris admiratifs. Je pouvais à peine parler. Émue et heureuse. Nous avons fait le salut à trois reprises. Souriant. Les lumières se sont rallumées. La joie était complète.

Dernier cours.

Madame, c'est-tu vrai que tu reviens pas l'année prochaine ?

Je n'avais pas pris de décision. Je ne savais rien. Non. En fait, je savais une chose. Que je deviendrais maman dans quelques mois. D'un petit poupon. Et que ma vie, à jamais, serait transformée. Allais-je recommencer l'année en septembre et laisser mes élèves en plein milieu pour le congé de maternité. Ou repartir à Québec, étudier les lettres. Prendre une année sabbatique dans mon appartement en ville et attendre sagement mon enfant.

Sincèrement, je ne sais pas Rodrigue.

On a été si pire que ça ?

Non, au contraire, je me suis vraiment attachée à vous. C'est juste qu'en ce moment, je ne sais pas ce que je vais faire l'an prochain.

En tout cas, il faudrait que tu restes parce qu'on veut continuer à faire du théâtre. Mais on aimerait mieux une pièce moins vieille la prochaine fois.

D'accord. Je garde ça en tête… Rodrigue ?

Ouais ?

C'était quand même bien de jouer *Le Cid ?*

Oui madame.

Il a haussé les épaules comme il le faisait toujours lorsqu'il cherchait ses mots.

C'était surtout bien de t'avoir comme prof cette année.

Et il a tourné les talons. Je l'ai regardé s'éloigner. Je me suis dit que l'enfant que j'allais mettre au monde, élever et aimer, je voulais que ce soit un garçon.

TABLE DES MATIÈRES

DANS LA MÊME COLLECTION

Gouverneurs de la rosée, Jacques Roumain

Nègre blanc, Jean-Marc Pasquet

Trilogie tropicale, Raphaël Confiant

Brisants, Max Jeanne

Une aiguille nue, Nuruddin Farah

Mémoire errante (coédition avec Remue-Ménage), J.J. Dominique

Dessalines, Guy Poitry

Litanie pour le Nègre fondamental, Jean Bernabé

L'allée des soupirs, Raphaël Confiant

Je ne suis pas Jack Kérouac (coédition avec Fédérop), Jean-Paul Loubes

Saison de porcs, Gary Victor

Traversée de l'Amérique dans les yeux d'un papillon, Laure Morali

Les immortelles, Makenzy Orcel

Le reste du temps, Emmelie Prophète

L'amour au temps des mimosas, Nadia Ghalem

La dot de Sara (coédition avec Remue-Ménage), Marie-Célie Agnant

L'ombre de l'olivier, Yara El-Ghadban

Kuessipan, Naomi Fontaine

Cora Geffrard, Michel Soukar

Les latrines, Makenzy Orcel

Vers l'Ouest, Mahigan Lepage

Soro, Gary Victor

Les tiens, Claude-Andrée L'Espérance

L'invention de la tribu, Catherine-Lune Grayson

Détour par First Avenue, Myrtelle Devilmé

Éloge des ténèbres, Verly Dabel

Impasse Dignité, Emmelie Prophète

La prison des jours, Michel Soukar

Coulées, Mahigan Lepage

Maudite éducation, Gary Victor

Je ne savais pas que la vie serait si longue après la mort, collectif dirigé par Gary Victor

Jeune fille vue de dos, Céline Nannini

L'amant du lac, Virginia Pésémapéo Bordeleau

La nuit de l'Imoko, Boubacar Boris Diop

Les chants incomplets, Miguel Duplan

La dernière nuit de Cincinnatus Leconte, Michel Soukar

Cures et châtiments, Gary Victor

Des vies cassées, H. Nigel Thomas (traduit par Alexie Doucet)

Le testament des solitudes, Emmelie Prophète

Première nuit: une anthologie du désir, collectif dirigé par Léonora Miano

La maison des épices, Nafissatou Dia Diouf

L'enfant hiver, Virginia Pésémapéo Bordeleau

Quartz, Joanne Rochette

Fuites mineures, Mahigan Lepage

Les brasseurs de la ville, Evains Wêche

Le vieux canapé bleu, Seymour Mayne

Volcaniques: une anthologie du plaisir, collectif dirigé par Léonora Miano

Le bout du monde est une fenêtre, Emmelie Prophète

Manhattan Blues, Jean-Claude Charles

Le parfum de Nour, Yara El-Ghadban

Le jour de l'émancipation, Wayne Grady (traduit par Caroline Lavoie)

Le petit caillou de la mémoire, Monique Durand

Bamboola Bamboche, Jean-Claude Charles

Nuit albinos, Gary Victor

Le bar des Amériques, Alfred Alexandre

De glace et d'ombre, H. Nigel Thomas (traduit par Christophe Bernard et Yara El-Ghadban)

Le testament de nos corps, Catherine-Lune Grayson

La femme tombée du ciel, Thomas King (traduit par Caroline Lavoie)

Sans capote ni kalachnikov, Blaise Ndala

Adel, l'apprenti migrateur, Salah El Khalfa Beddiari

Phototaxie, Olivia Tapiero

L'OUVRAGE *MANIKANETISH*
DE NAOMI FONTAINE
EST COMPOSÉ EN ADOBE GARAMONT PRO 11,5/13,5.
IL EST IMPRIMÉ SUR DU PAPIER ENVIRO
CONTENANT 100 %
DE FIBRES RECYCLÉES POSTCONSOMMATION,
TRAITÉ SANS CHLORE, ACCRÉDITÉ ÉCO-LOGO
ET FAIT À PARTIR DE BIOGAZ
EN NOVEMBRE 2017
AU QUÉBEC (CANADA)
PAR MARQUIS IMPRIMEUR INC.
POUR LE COMPTE DES ÉDITIONS MÉMOIRE D'ENCRIER INC.